선생님과 함께 세고, 쓰고, 말하면서 수 감각 익히기

혼자하기 심심하다면, 책에 있는 그림을 커다란 화면으로 만나게 해 주세요. 선생님의 재미있는 설명을 보면서 따라 하다 보면 어느새 1부터 100까지의 수의 개념을 익힐 수 있습니다.

친절한 설명으로 쉽게 수 연산 익히기

아이들이 경험할 수 있는 활동을 통해 자연스럽게 덧셈과 뺄셈이라는 셈 개념과 +, − 기호를 접할 수 있게 해 주세요. 선생님의 친절한 설명으로 쉽게 수 연산을 익힐 수 있습니다.

다양한 활동으로 재미있게 수와 셈 익히기

세면서 말하는 활동, 붙임딱지를 붙이거나 색칠하는 활동, 점을 연결하여 그림을 완성하는 활동, 선으로 연결하는 활동 등 다양한 활동을 통해 감각적으로 재미있게 수 개념을 익히고, 쉽게 셈을 쉽게 익힐 수 있습니다.

초능력 쌤과 키우자, 공부힘!

첫걸음 수와 셈

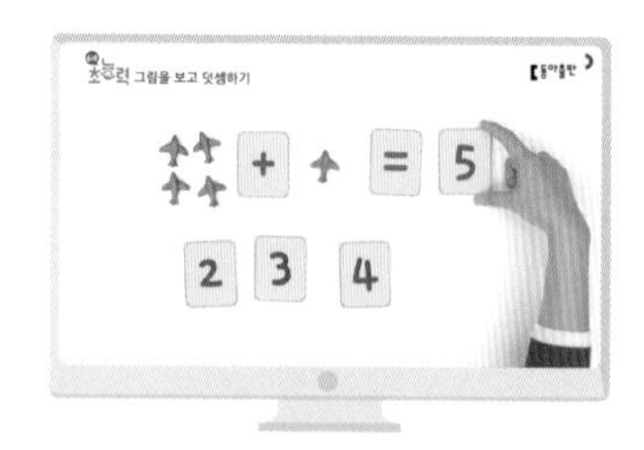

- 그림을 활용한 전 문항 활동 수업 강의
- 7가지 학습 방법으로 다양한 활동 학습

첫걸음 한글

- 자모음자의 소리를 생생하게 이해
- 한글 결합 원리와 통 문자를 동시에 학습

첫걸음 한글 쓰기

- 받침 없는 글자를 쓰며 쓰기의 기초 다지기
- 글자의 짜임에 따라 글자 쓰는 방법 학습
- 주제별 낱말을 따라 쓰며 어휘력 향상

6세 초능력 **무료 스마트러닝** 접속 방법

방법 1

교재 표지나 본문에 있는
QR 코드를 찍어
무료 동영상을 보세요.

방법 2

동아출판 홈페이지
www.bookdonga.com에
접속하여 보세요.

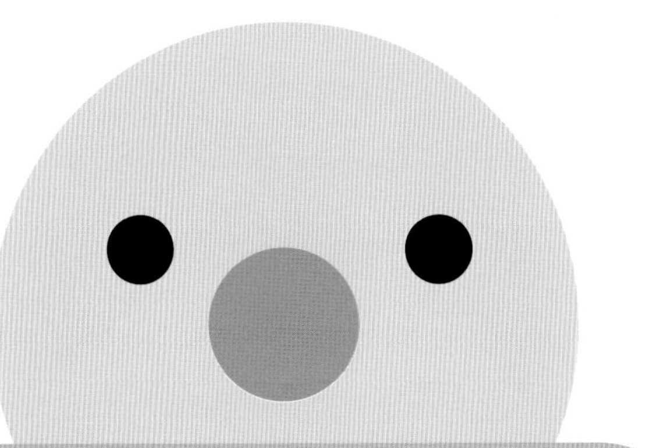

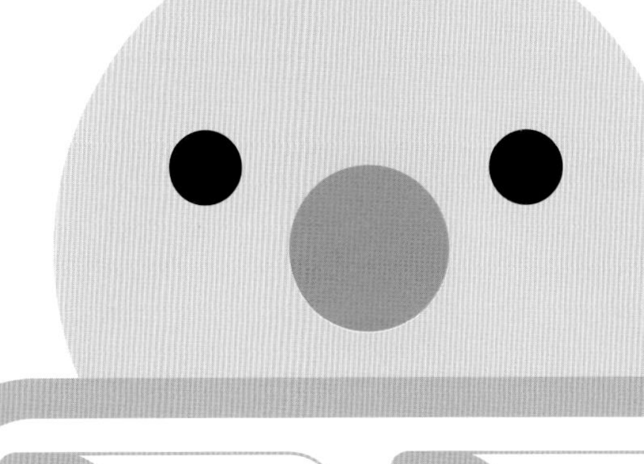

의 수학책

1	월 일	2	월 일	21	월 일
3	월 일	4	월 일	22	월 일
5	월 일	6	월 일	23	월 일
7	월 일	8	월 일	24	월 일
9	월 일	10	월 일	25	월 일
11	월 일	12	월 일	26	월 일
13	월 일	14	월 일	27	월 일
15	월 일	16	월 일	28	월 일
17	월 일	18	월 일	29	월 일
19	월 일	20	월 일	30	월 일

21	월 일	22	월 일
23	월 일	24	월 일
25	월 일	26	월 일
27	월 일	28	월 일
29	월 일	30	월 일
31	월 일	32	월 일
33	월 일	34	월 일
35	월 일	36	월 일
37	월 일	38	월 일
39	월 일	40	월 일
41	월 일		

이렇게 하세요.

1 2월 1일

공부한 날짜를 쓰고, 색칠하세요.

※ 모양 따라 오린 후 반으로 접어서 책갈피로 활용하세요!

첫걸음 수와 셈

1단계

6세

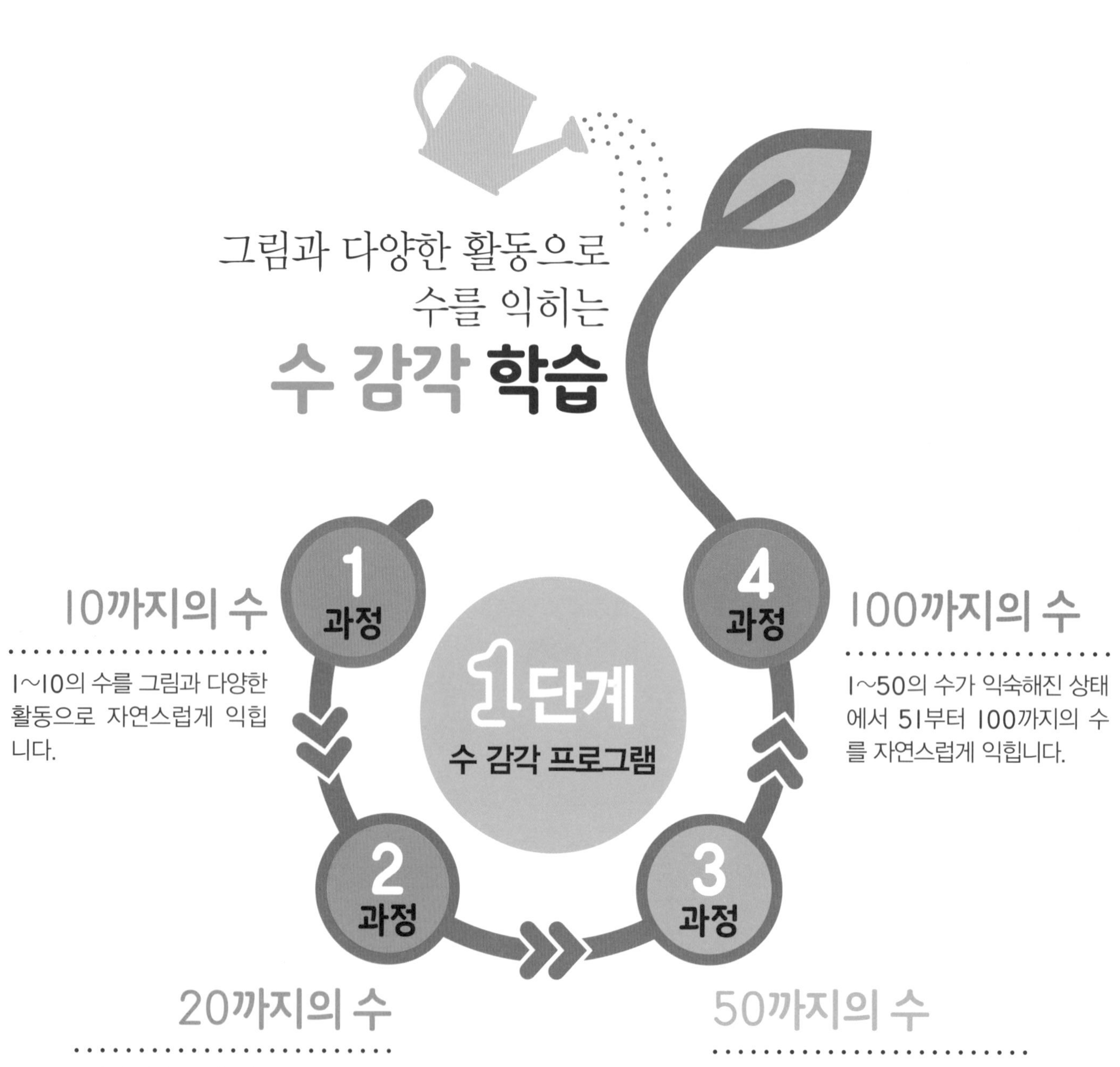

10까지의 수

1~10의 수를 그림과 다양한 활동으로 자연스럽게 익힙니다.

100까지의 수

1~50의 수가 익숙해진 상태에서 51부터 100까지의 수를 자연스럽게 익힙니다.

20까지의 수

1과정에서 익힌 감각으로 11부터 20까지의 수를 자연스럽게 확장하여 익힙니다.

50까지의 수

1~20의 수를 익힌 감각에 더해 큰 수로 넓혀 갑니다. 10, 20, 30, 40, 50과 21부터 49까지의 수를 다양한 활동으로 익힙니다.

1부터 20까지의 수에서
셈을 익히는
수 연산 학습

2단계 수 연산 프로그램

1 과정 5까지의 셈

5까지의 수에서 그림과 다양한 활동으로 덧셈과 뺄셈의 개념을 익힙니다.

2 과정 10까지의 셈

10까지의 수에서 덧셈과 뺄셈을 +, − 기호와 함께 익힙니다.

3 과정 15까지의 셈

15까지의 수에서 숫자와 기호로 표현된 덧셈식과 뺄셈식의 계산을 익힙니다.

4 과정 20까지의 셈

20까지의 수에서 다양한 활동으로 수 연산을 익힙니다.

6세 초능력 첫걸음 수와 셈 | 구성과 활용법

활동 수업 동영상과 함께하는 주제별 전 문항 활동 수업!

주제별 활동 학습

1~4과정으로 나누어 각 주제별 2쪽으로 총 41개의 주제를 통해 100까지의 수를 익힐 수 있어요.

수 개념

물건의 개수를 세어 보고, 수를 읽고 써 보는 연습을 해요.

수 순서

수를 이용하여 순서에 맞게 수를 표현해요.

수 세기

수학적 사고력을 가지고 구조적으로 수 세기를 해요.

수 크기

수를 이용하여 다양한 방법으로 수의 크기를 비교해요.

활동 수업

3 1, 2, 3, 4, 5 쓰기

몇인지 세어 보고 수를 따라 써요

수 쓰기 3

고양이가 1마리 있어요.

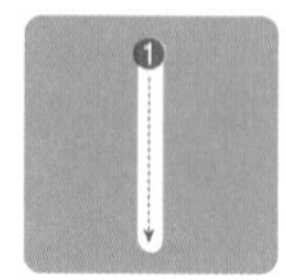

하나, 일

무당벌레가 2마리 있어요.

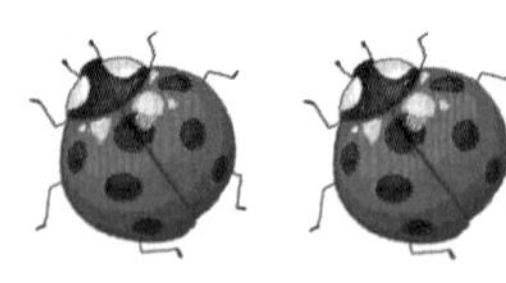

2 2 2

둘, 이

인형이 3개 있어요.

3 3 3

셋, 삼

12

활동 수업 동영상

무료 스마트러닝 영상으로 모든 문제를 선생님과 함께 공부해요.

다양한 활동으로 수 감각을 키워요!

정답 99쪽

몇인지 세어 보고 수를 따라 써요

7가지 활동 아이콘

다양한 방법으로 문제를 풀면서
수 감각을 키워요.

꽃이 4송이 있어요.

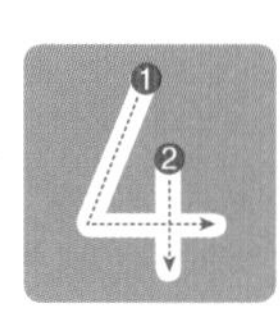

넷, 사

그리기

수 쓰기

붙임딱지

색칠하기

점 잇기

그리고 수 쓰기

수 쓰고 그리기

벌이 5마리 있어요.

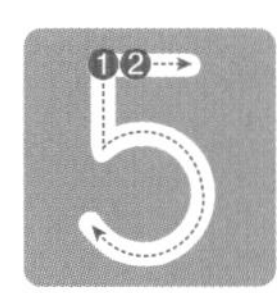

다섯, 오

고양이가 한 마리, 무당벌레가 두 마리, 인형이 세 개, 꽃이 네 송이, 벌이 다섯 마리로 읽어요.
사물의 수를 셀 때는 "하나, 둘, 셋, 넷, 다섯", 1월, 1층과 같은 상황에서는 "일, 이, 삼, 사, 오"로 읽어요.

13

부모님만 보세요

아이와 함께 학습할 때 필요한 도움말과 주의할 점을 알려줘요.

6세 초능력 첫걸음 수와 셈 | 차례

1 과정

10까지의 수

1. 하나, 둘, 셋, 넷, 다섯
2. 여섯, 일곱, 여덟, 아홉, 열
3. 1, 2, 3, 4, 5 쓰기
4. 1, 2, 3, 4, 5 놀이
5. 6, 7, 8, 9, 10 쓰기
6. 6, 7, 8, 9, 10 놀이
7. 작은 수부터 쓰기
8. 큰 수부터 쓰기
9. 순서대로 점 잇기
10. 둘로 묶어서 세기
11. 1 큰 수, 1 작은 수
12. 더 큰 수, 더 작은 수

활동 수업

1 하나, 둘, 셋, 넷, 다섯

자동차의 수를 세요

자동차가

하나

자동차가

하나, 둘

자동차가

하나, 둘, 셋

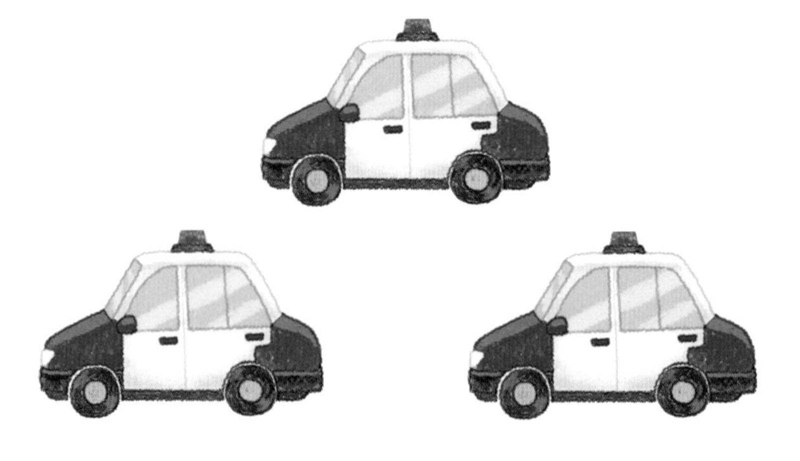

정답 98쪽

자동차의 수를 세요

자동차가

하나, 둘, 셋, 넷

자동차가

하나, 둘, 셋, 넷, 다섯

그림을 하나씩 손으로 짚어 가며 "하나, 둘, 셋, 넷, 다섯"을 차례대로 소리내어 말하세요.

그림의 수를 세요

빵이

하나, 둘, 셋, 넷, 다섯, 여섯

아이스크림이

하나, 둘, 셋, 넷, 다섯, 여섯, 일곱

사탕이

하나, 둘, 셋, 넷, 다섯, 여섯, 일곱, 여덟

정답 98쪽

그림의 수를 세요

우유가

하나, 둘, 셋, 넷, 다섯, 여섯, 일곱, 여덟, 아홉

과자가

하나, 둘, 셋, 넷, 다섯, 여섯, 일곱, 여덟, 아홉, 열

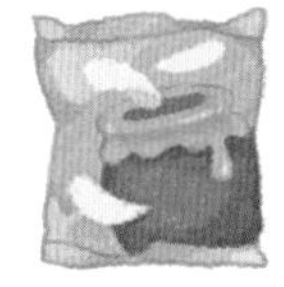

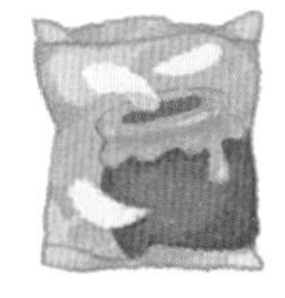

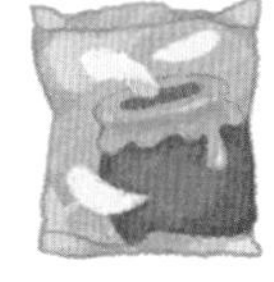
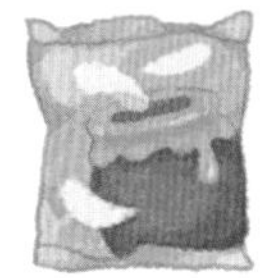

그림을 하나씩 손으로 짚어 가며 앞에서 센 다섯에 이어
"여섯, 일곱, 여덟, 아홉, 열"을 차례대로 소리내어 말하세요.

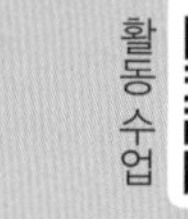

3 1, 2, 3, 4, 5 쓰기

몇인지 세어 보고 수를 따라 써요

고양이가 1마리 있어요.

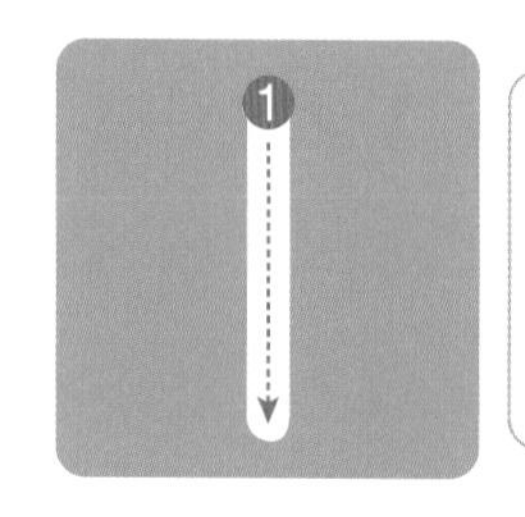

하나, 일

무당벌레가 2마리 있어요.

2 2 2

둘, 이

인형이 3개 있어요.

3 3 3

셋, 삼

정답 99쪽

몇인지 세어 보고 수를 따라 써요

꽃이 4송이 있어요.

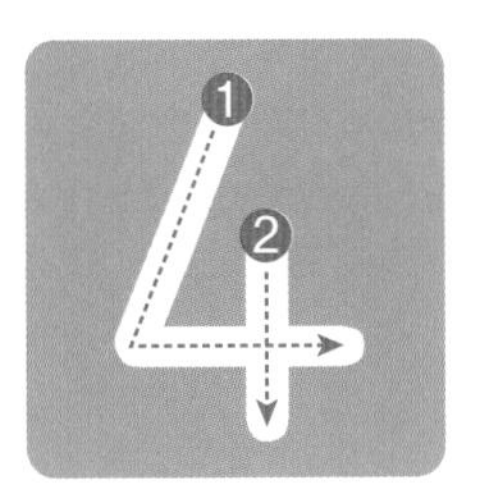

넷, 사

4 4 4

벌이 5마리 있어요.

다섯, 오

5 5 5

고양이가 한 마리, 무당벌레가 두 마리, 인형이 세 개, 꽃이 네 송이, 벌이 다섯 마리로 읽어요.
사물의 수를 셀 때는 "하나, 둘, 셋, 넷, 다섯", 1월, 1층과 같은 상황에서는 "일, 이, 삼, 사, 오"로 읽어요.

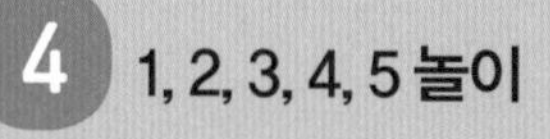

주어진 수만큼 묶어요

삼

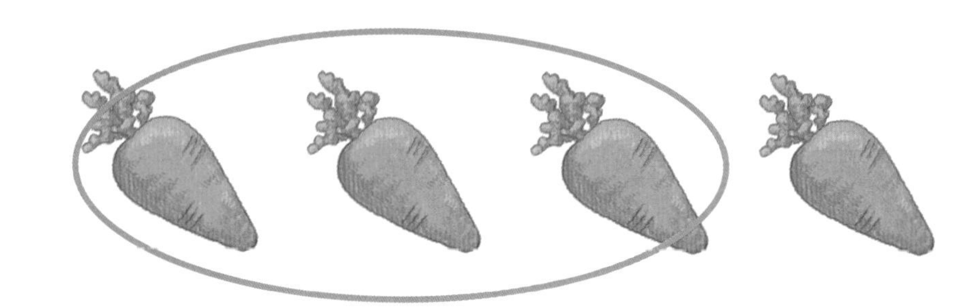

1

넷

2

정답 99쪽

주어진 수만큼 붙여요

5

하나

이

셋

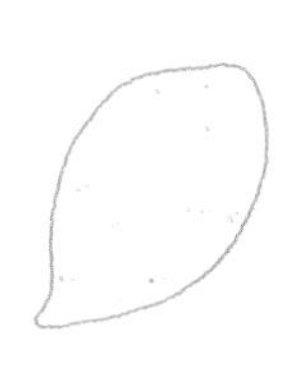 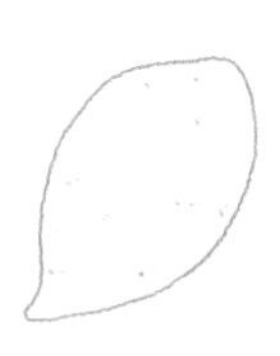   

Guide "하나, 둘, 셋, 넷, 다섯"과 "일, 이, 삼, 사, 오", "1, 2, 3, 4, 5"를 연결시켜 연습해요.

5 6, 7, 8, 9, 10 쓰기

활동 수업

몇인지 세어 보고 수를 따라 써요

수 쓰기 3

젤리가 6개 있어요.

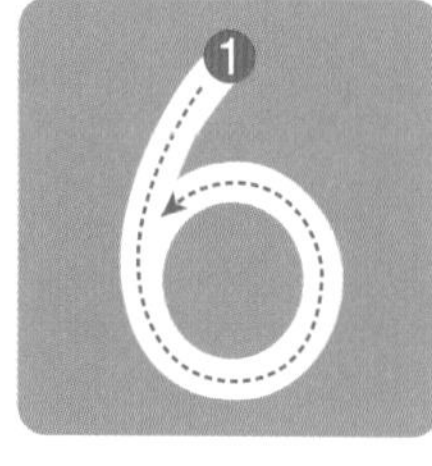

여섯, 육

연필이 7자루 있어요.

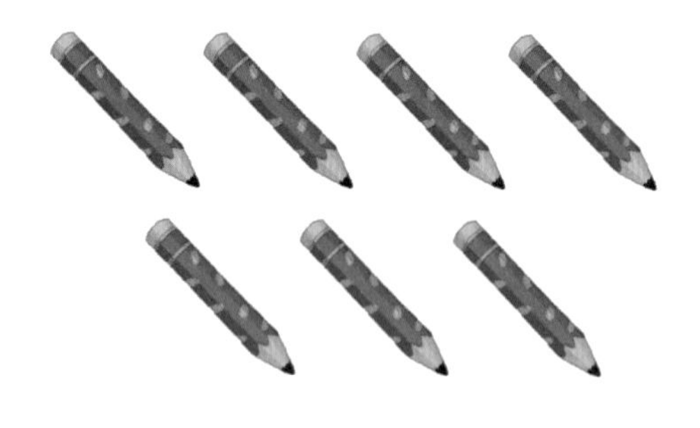

7 7 7

일곱, 칠

지우개가 8개 있어요.

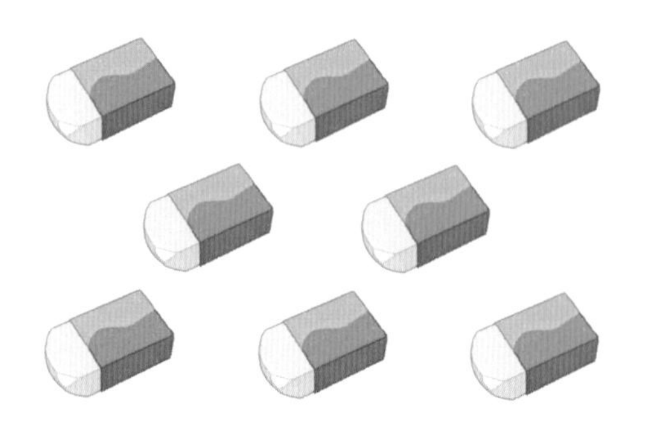

여덟, 팔

정답 100쪽

몇인지 세어 보고 수를 따라 써요

책이 9권 있어요.

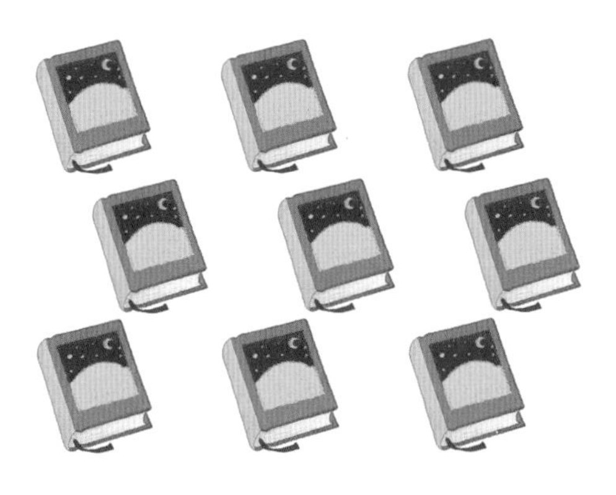

9 9 9

아홉, 구

비둘기가 10마리 있어요.

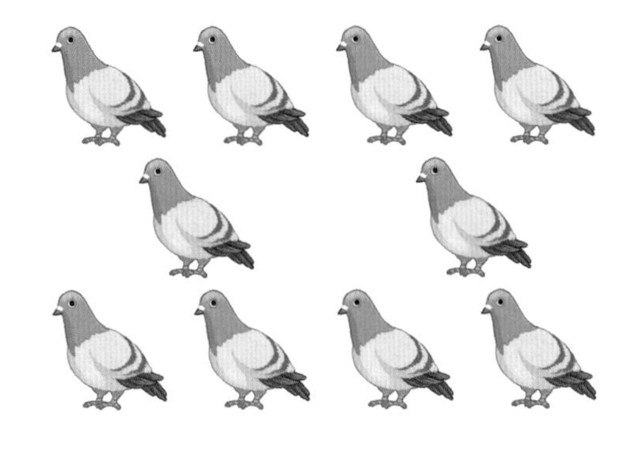

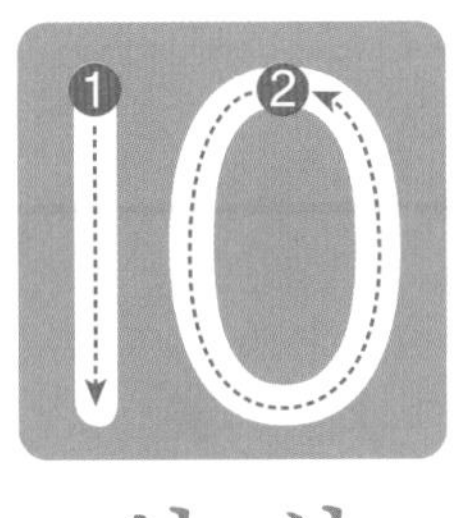

10 10 10

열, 십

상자 안에 아무것도 없어요.

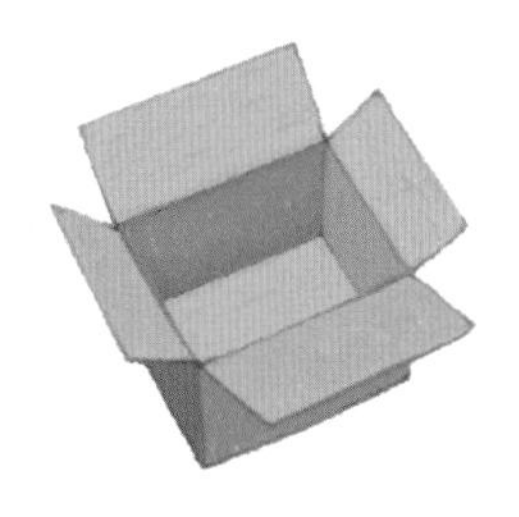

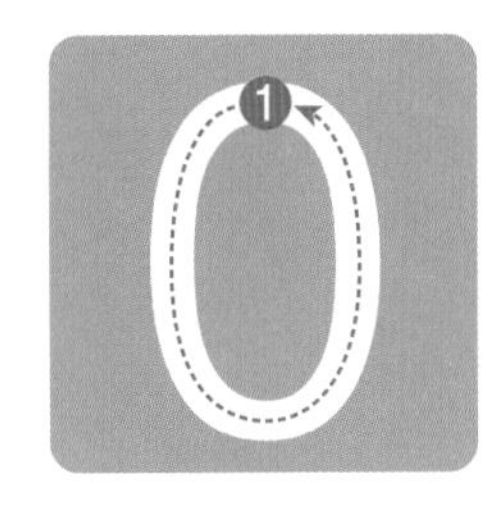

영

Guide 젤리가 여섯 개, 연필이 일곱 자루, 지우개가 여덟 개, 책이 아홉 권, 비둘기가 열 마리로 읽어요.
아무것도 없는 것은 "영"이라고 읽어요.

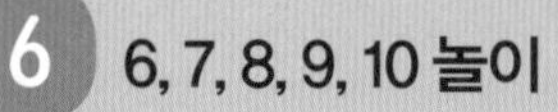

주어진 수만큼 묶어요

8

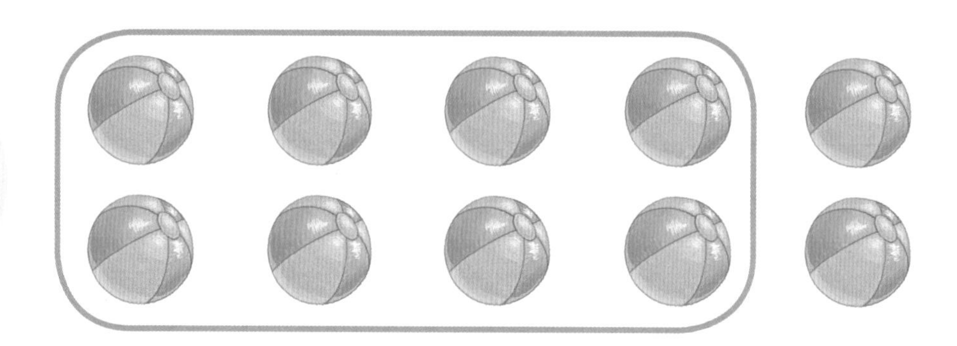

정답 100쪽

주어진 수만큼 붙여요

십

9

여섯

  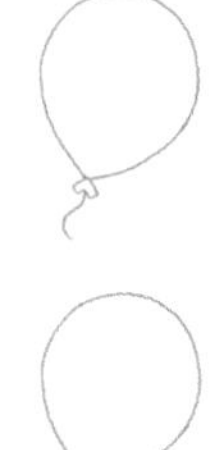  

 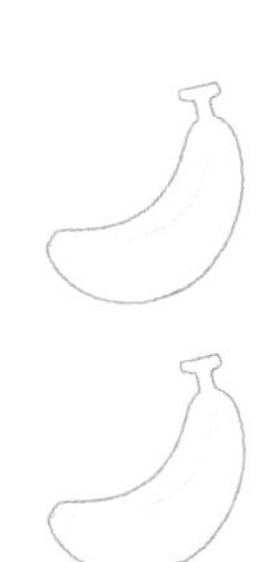 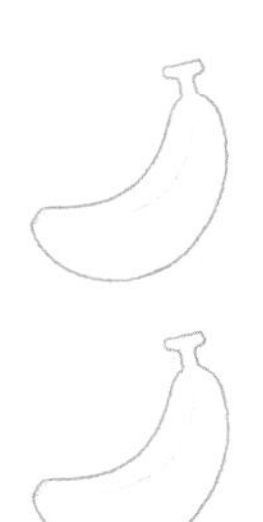 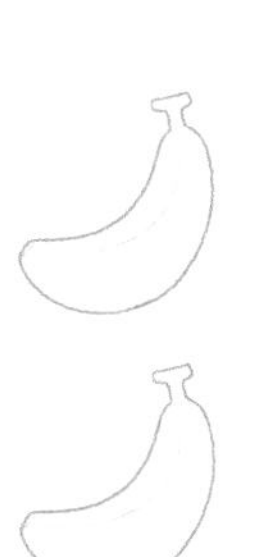 

Guide "여섯, 일곱, 여덟, 아홉, 열"과 "육, 칠, 팔, 구, 십", "6, 7, 8, 9, 10"을 연결시켜 연습해요.

7 작은 수부터 쓰기

순서에 맞게 수를 써요

하나	둘	셋	넷	다섯
1	2	3	4	5
일	이	삼	사	오

1	2		4	5

1	2	3	4	

	2	3	4	5

정답 101쪽

순서에 맞게 수를 써요

하나	둘	셋	넷	다섯	여섯	일곱	여덟	아홉	열
1	2	3	4	5	6	7	8	9	10
일	이	삼	사	오	육	칠	팔	구	십

Guide 1~10의 수를 앞에서부터 차례대로 세는 연습을 하면서 수의 순서를 익혀요.

8 큰 수부터 쓰기

순서에 맞게 수를 써요

다섯	넷	셋	둘	하나
5	4	3	2	1
오	사	삼	이	일

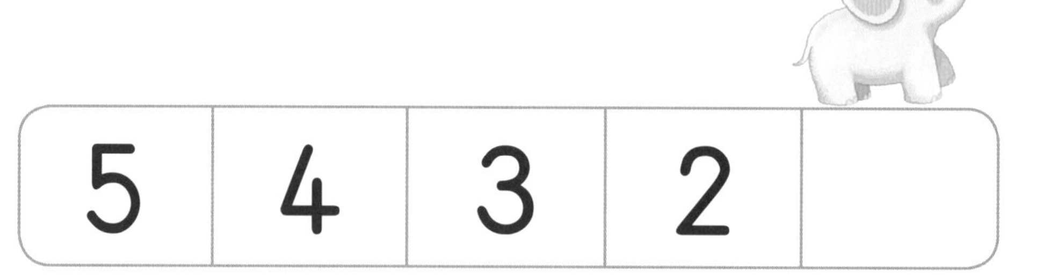

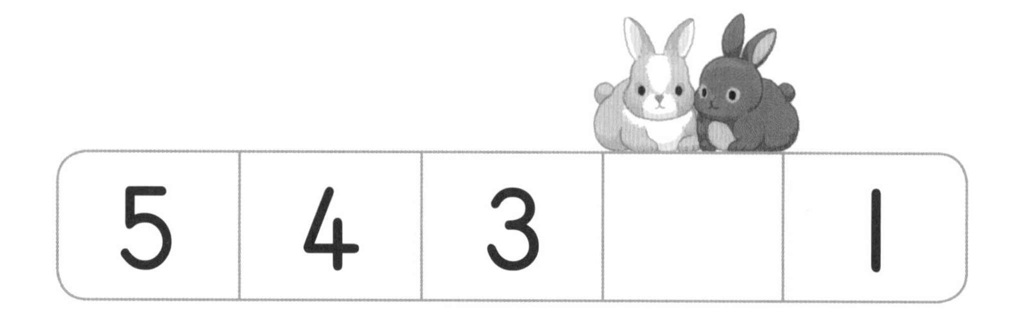

정답 101쪽

순서에 맞게 수를 써요

열	아홉	여덟	일곱	여섯	다섯	넷	셋	둘	하나
10	9	8	7	6	5	4	3	2	1
십	구	팔	칠	육	오	사	삼	이	일

10, ( ), 8, 7, ( ), 5, 4, ( ), 2, 1

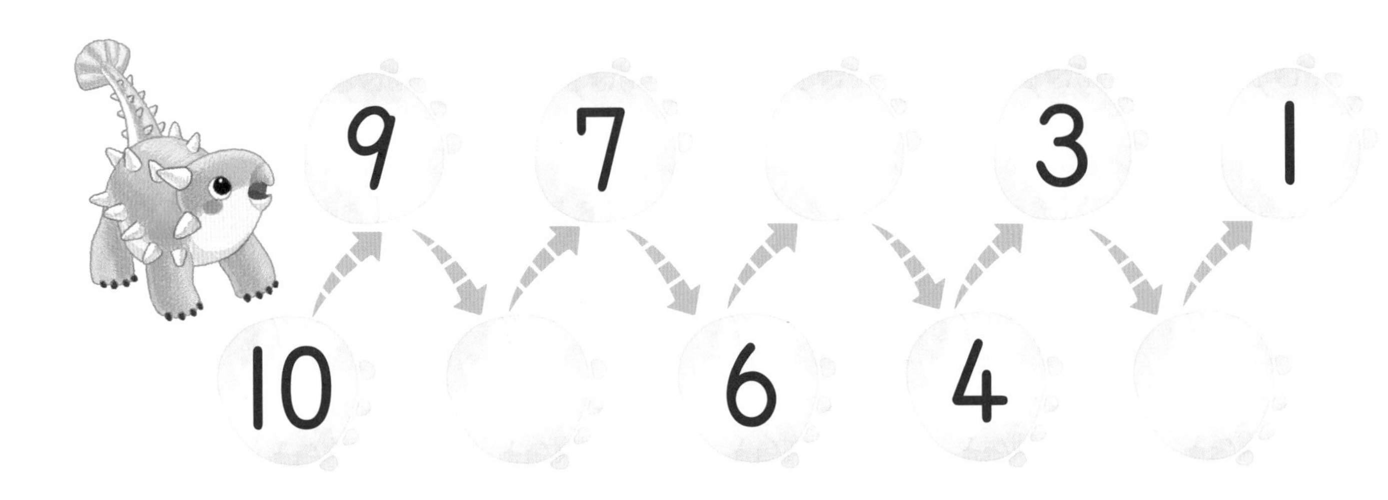

1~10의 수를 뒤에서부터 세는 연습을 하면서 거꾸로 수의 순서를 익혀요.

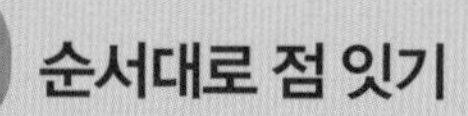

9 순서대로 점 잇기

1부터 10까지의 수로 그림을 그려요

정답 102쪽

1부터 10까지의 수로 그림을 그려요

점 잇기를 통해 1~10의 수의 순서를 익혀요.

두 묶음으로 나누어 전체 수를 써요

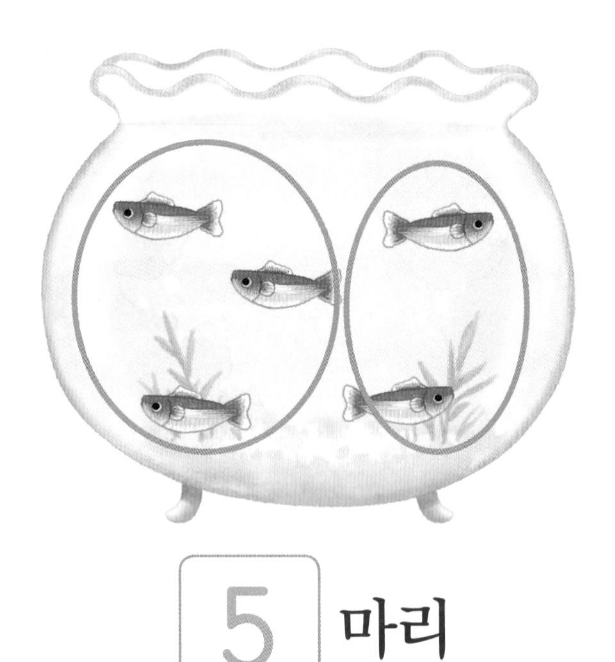

5 마리

☐ 마리

☐ 마리

☐ 마리

정답 102쪽

두 묶음으로 나누어 전체 수를 써요

□ 마리

□ 마리

□ 마리

□ 마리

1부터 10까지의 수를 셀 때 하나씩 셀 수도 있고, 이어서 셀 수도 있어요.
이번에는 두 묶음으로 나누어 세는 연습을 해요.

11 1큰 수, 1작은 수

모양을 한 개씩 더 붙이면서 수를 써요

3 —1 큰 수→ 4 —1 큰 수→ □

5 —1 큰 수→ □ —1 큰 수→ □

정답 103쪽

모양을 한 개씩 더 지우면서 수를 써요

6 → 1 작은 수 → ☐ → 1 작은 수 → ☐

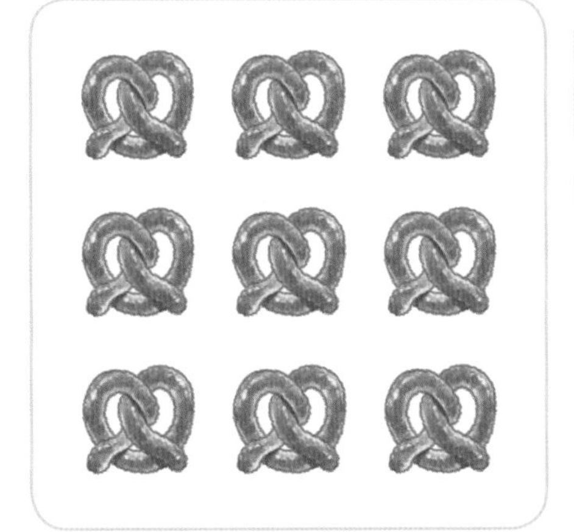

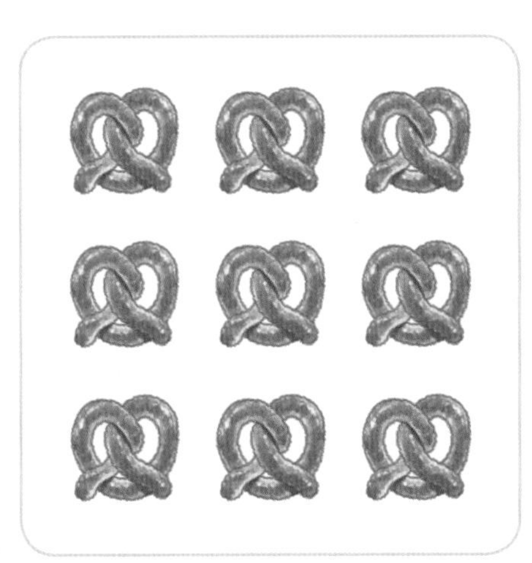

9 → 1 작은 수 → ☐ → 1 작은 수 → ☐

Guide 1 큰 수와 1 작은 수는 수를 순서대로 놓았을 때 바로 뒤의 수와 바로 앞의 수라는 것을 알려주세요.

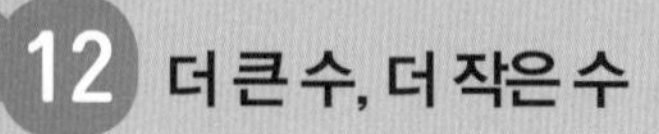

수를 세어 쓰고 더 큰 수를 찾아요

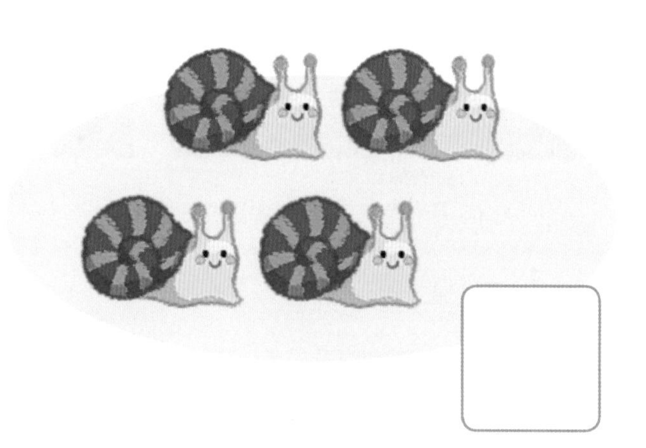

정답 103쪽

수를 세어 쓰고 더 작은 수를 찾아요

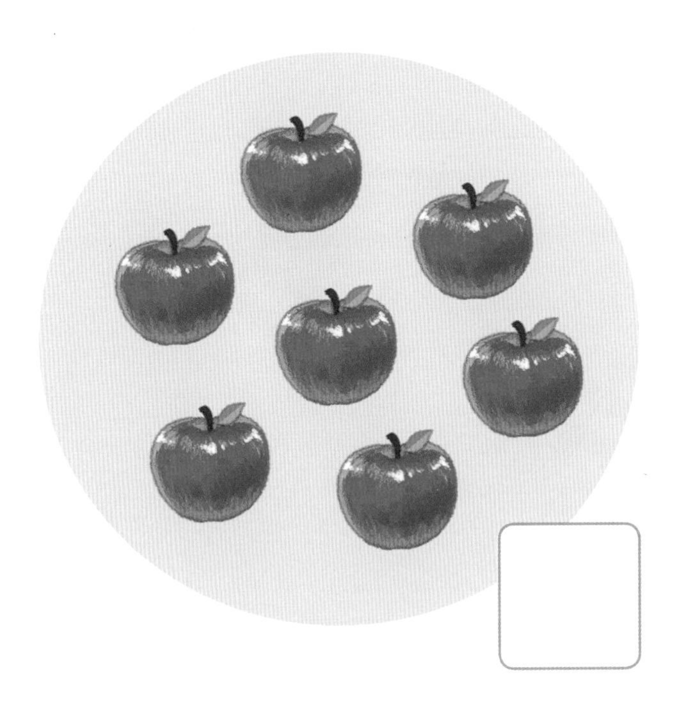

Guide 두 수의 크기를 비교할 때는 수의 순서에서 어디에 놓이는지 생각해 보거나 하나씩 짝을 지어 보았을 때 어느 쪽이 남는지 비교해요.

물고기를 잡으러 가요

한 번 지나간 길은 되돌아갈 수 없으니 잘 찾아가세요!

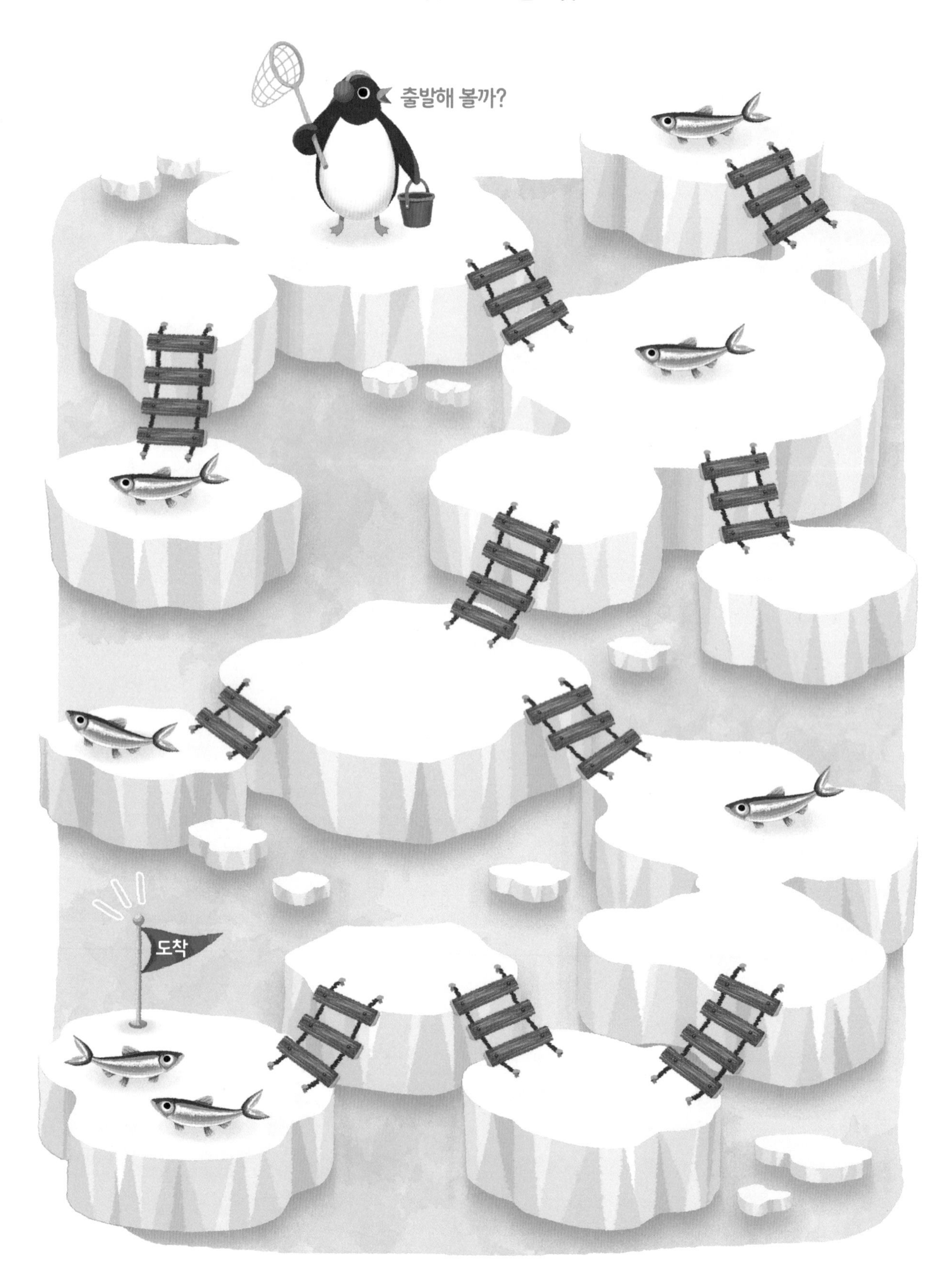

2 과정

20까지의 수

13 열하나, 열둘, 열셋, 열넷, 열다섯

그림의 수를 세요

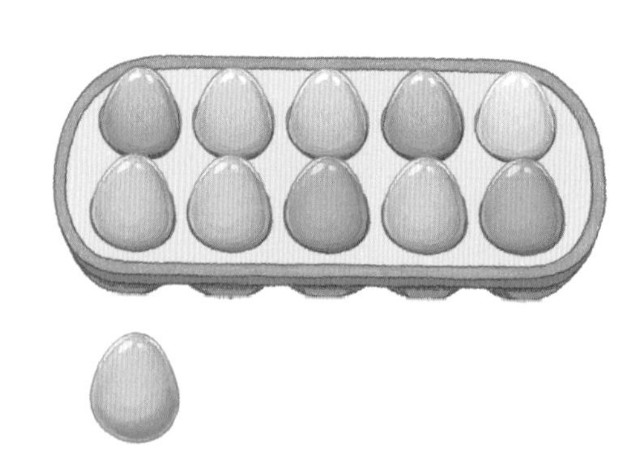

달걀이

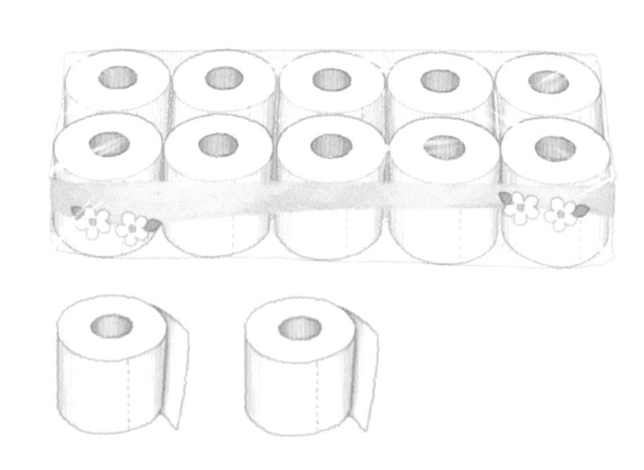

휴지가

열하나, 열둘

축구공이

열하나, 열둘, 열셋

정답 104쪽

그림의 수를 세요

크레파스가

열하나, 열둘, 열셋, 열넷

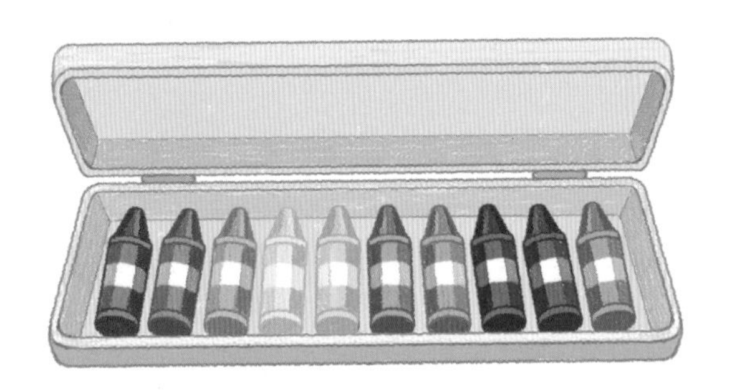

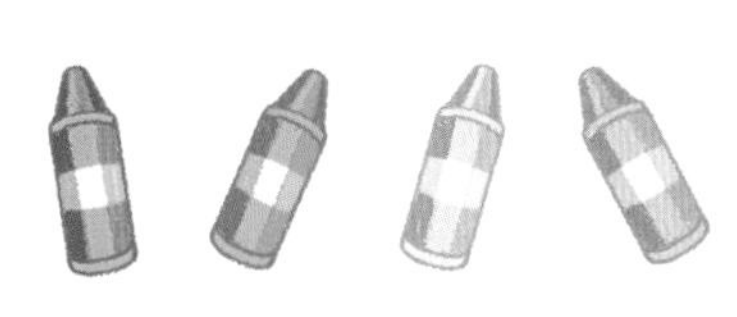

가위가

열하나, 열둘, 열셋, 열넷, 열다섯

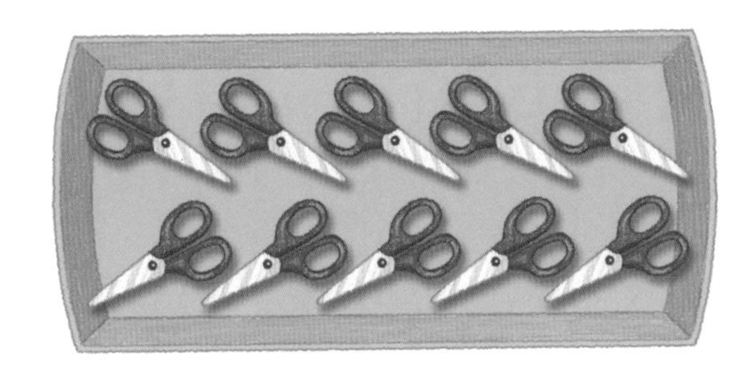

10개 묶음을 "열"로 세고 이어서 "열하나, 열둘, 열셋, 열넷, 열다섯"을 차례대로 소리내어 말하세요.

14 열여섯, 열일곱, 열여덟, 열아홉, 스물

그림의 수를 세요

초콜릿이
열하나, 열둘, 열셋, 열넷, 열다섯,
열여섯

빵이
열하나, 열둘, 열셋, 열넷, 열다섯,
열여섯, 열일곱

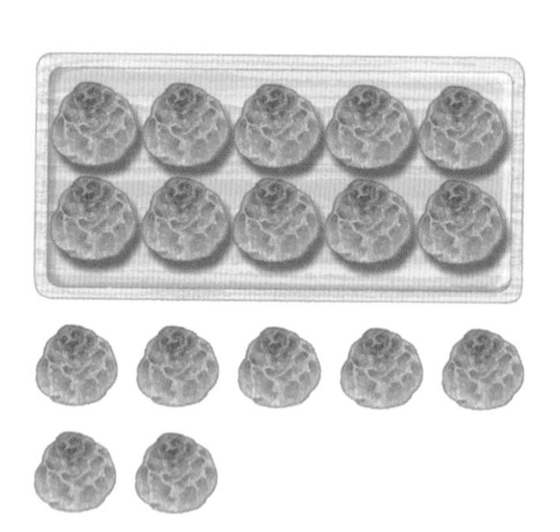

사탕이
열하나, 열둘, 열셋, 열넷, 열다섯,
열여섯, 열일곱, 열여덟

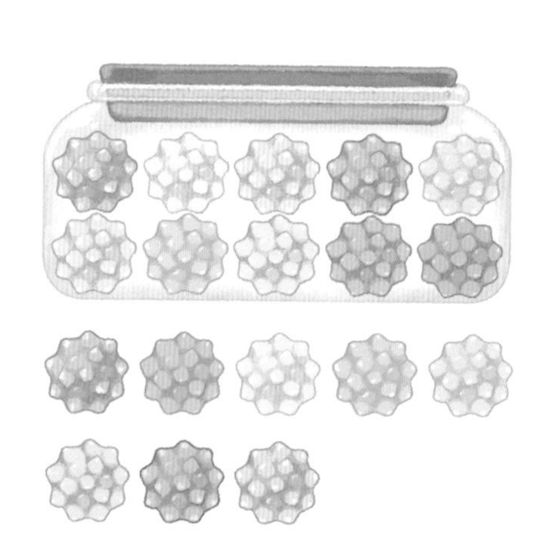

정답 104쪽

그림의 수를 세요

우유가

열하나, 열둘, 열셋, 열넷, 열다섯,

열여섯, 열일곱, 열여덟, 열아홉

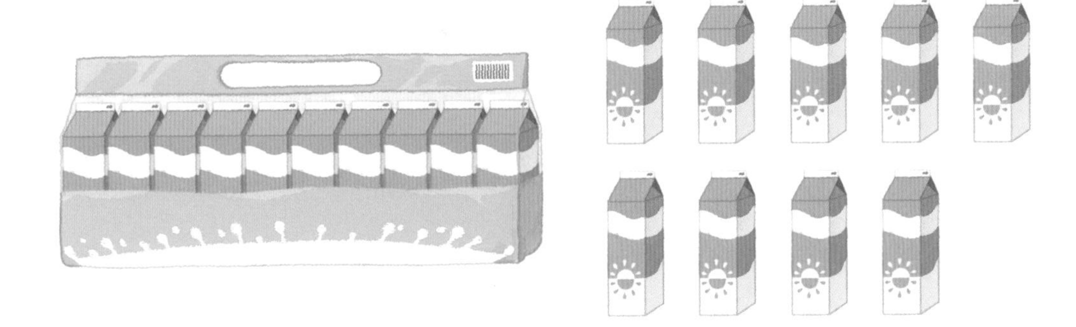

도넛이

열하나, 열둘, 열셋, 열넷, 열다섯,

열여섯, 열일곱, 열여덟, 열아홉, 스물

10개짜리 묶음을 "열"로 세고 앞에서 센 열다섯에 이어
"열여섯, 열일곱, 열여덟, 열아홉, 스물"을 차례대로 소리내어 말하세요.

몇인지 세어 보고 수를 따라 써요

빵이 11개 있어요.

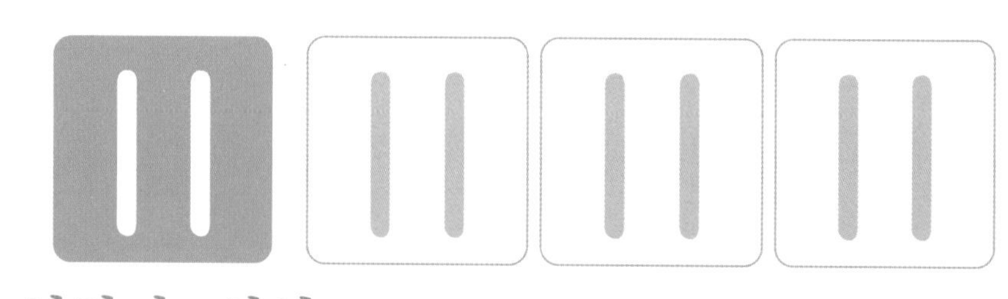

열하나, 십일

무당벌레가 12마리 있어요.

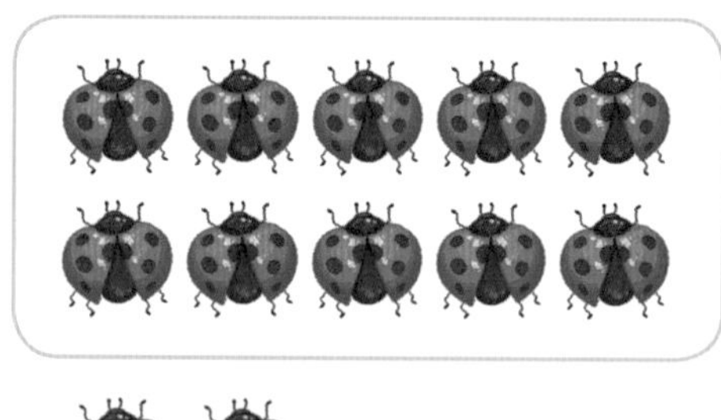

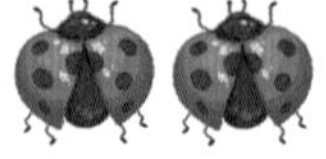

열둘, 십이

꽃이 13송이 있어요.

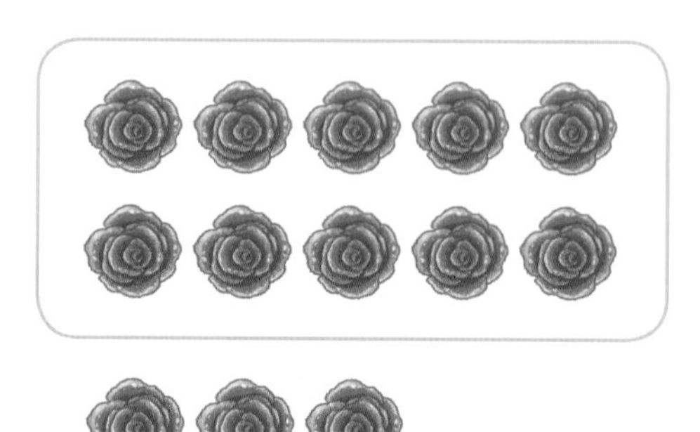

열셋, 십삼

정답 105쪽

몇인지 세어 보고 수를 따라 써요

인형이 14개 있어요.

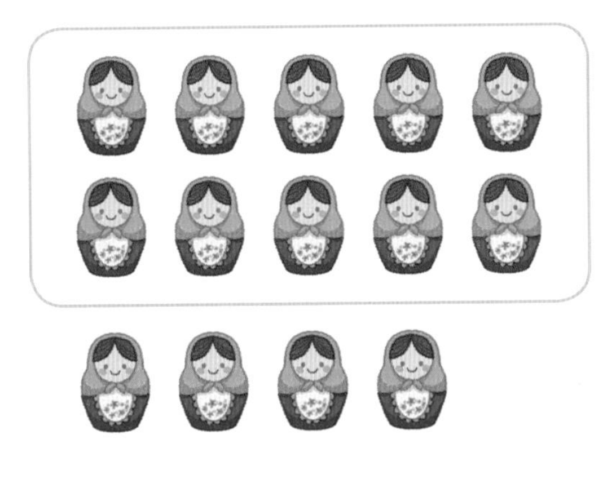

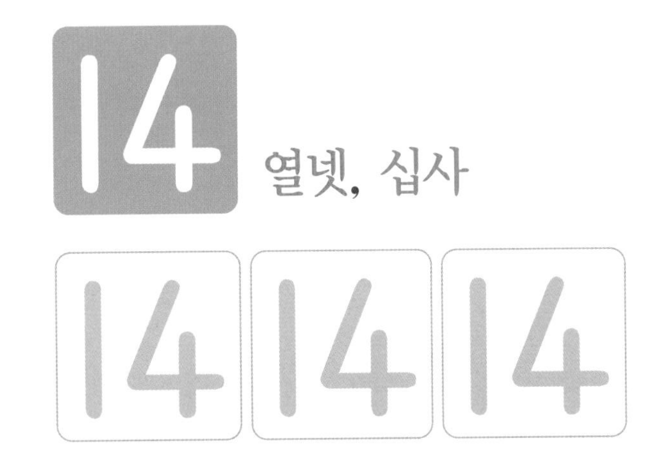

벌이 15마리 있어요.

 수를 세어 나타낸 것을 따라 쓰고 두 가지 방법으로 읽어요.

16 11, 12, 13, 14, 15 놀이

주어진 수만큼 묶어요

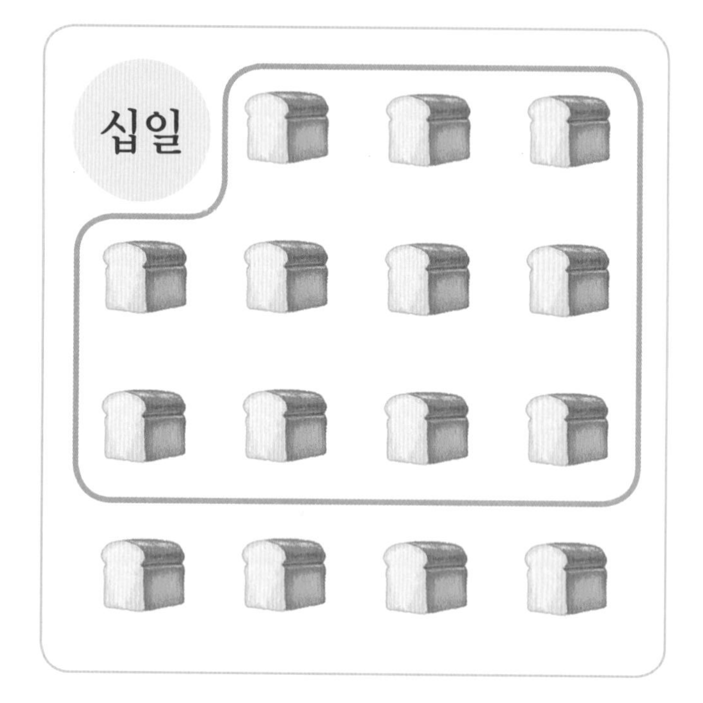

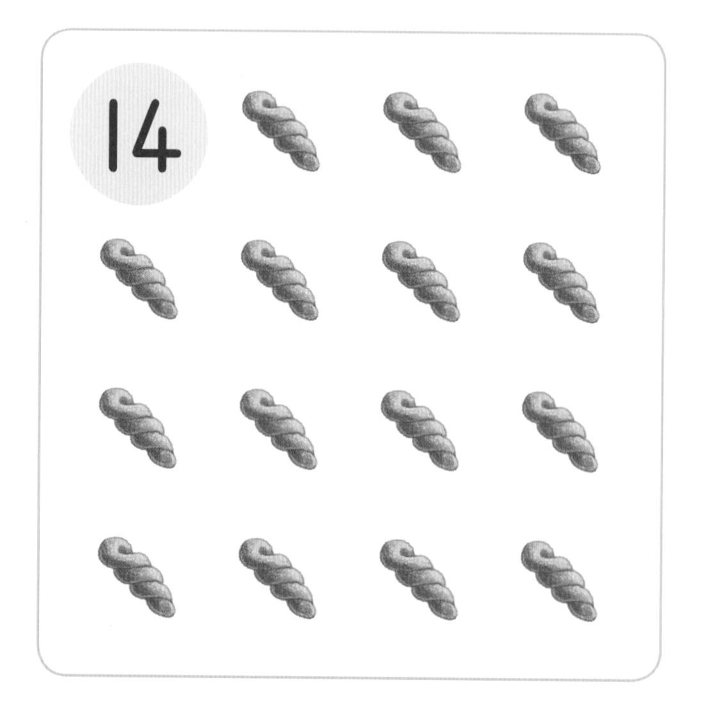

정답 105쪽

주어진 수만큼 색칠해요

15

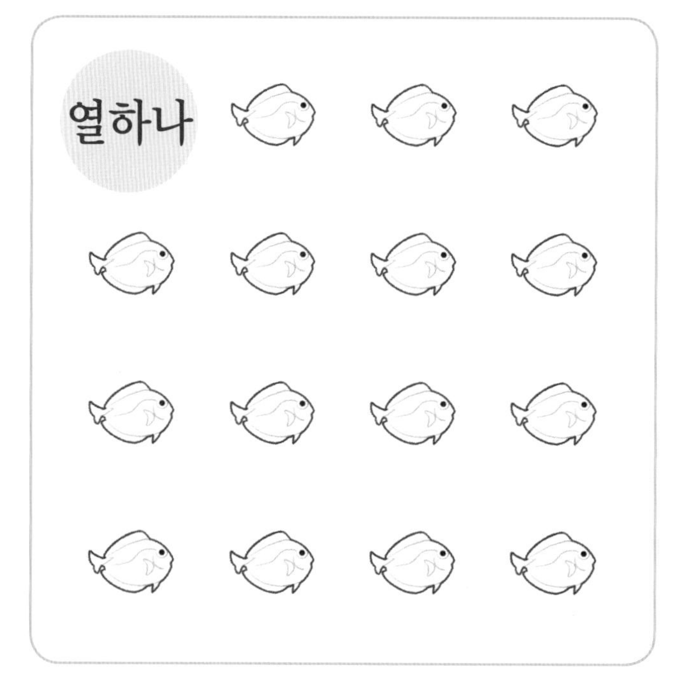

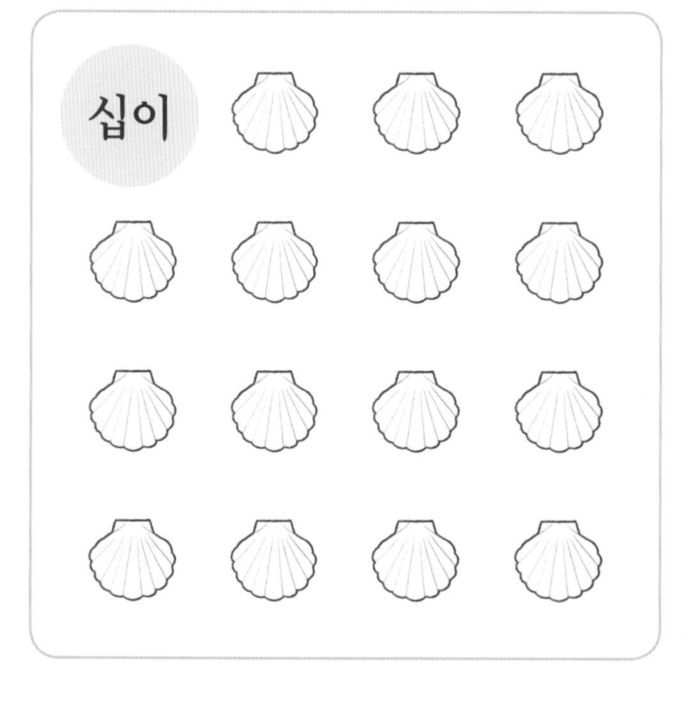

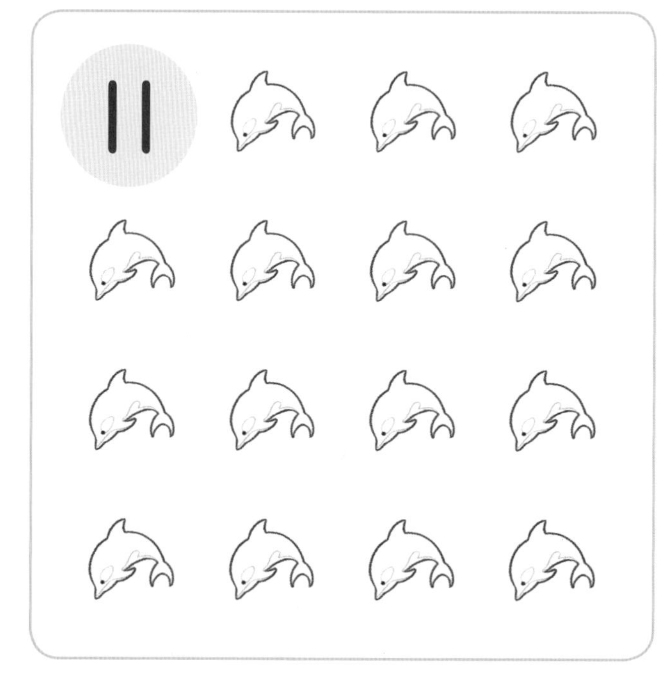

수를 두 가지 방법으로 읽을 수 있음을 알고 10개씩 묶음과 낱개의 수로 10보다 큰 수를 나타낼 수 있어요.

몇인지 세어 보고 수를 따라 써요

젤리가 16개 있어요.

열여섯, 십육

연필이 17자루 있어요.

열일곱, 십칠

구슬이 18개 있어요.

열여덟, 십팔

정답 106쪽

몇인지 세어 보고 수를 따라 써요

책이 19권 있어요.

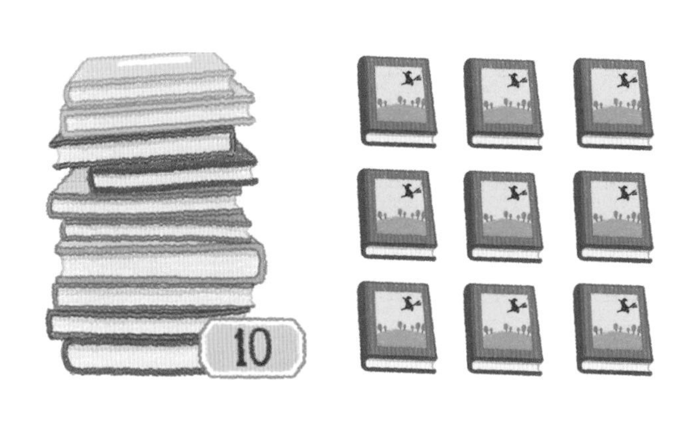

블록이 20개 있어요.

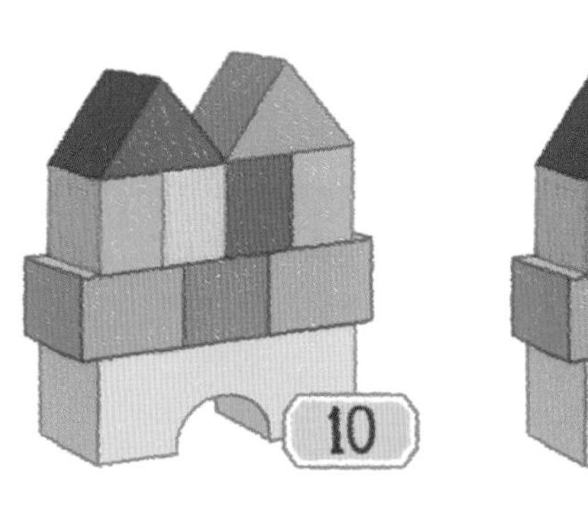

20 스물, 이십

20 20 20

Guide 10보다 큰 수에서 10개씩 묶음의 수를 빼고 남은 낱개의 수를 세는 연습을 해요.

활동 수업

18 16, 17, 18, 19, 20 놀이

주어진 수만큼 묶어요

정답 106쪽

주어진 수만큼 색칠해요

열여덟

16

20

십구

Guide 수를 두 가지 방법으로 읽을 수 있음을 알고 10개씩 묶음과 낱개의 수로 10보다 큰 수를 나타낼 수 있어요.

19 작은 수부터 쓰기

순서에 맞게 수를 써요

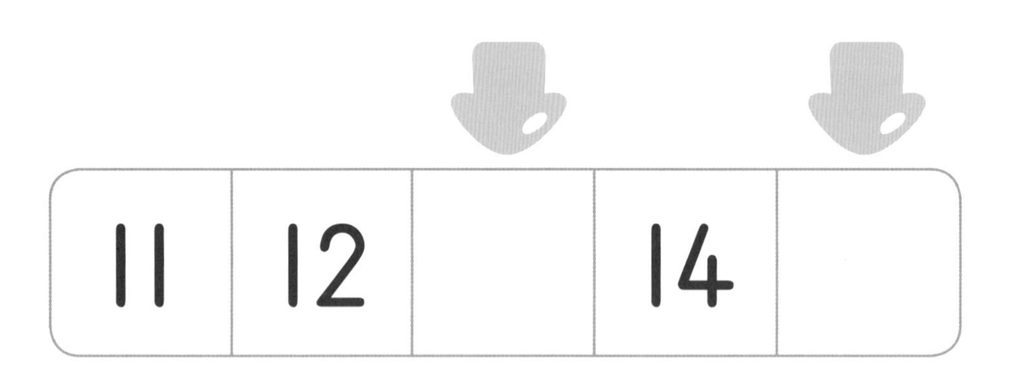

정답 107쪽

순서에 맞게 수를 써요

 열하나	열둘	열셋	열넷	열다섯	열여섯	열일곱	열여덟	열아홉	스물
11	12		14	15	16		18		20
십일	십이	십삼	십사	십오	십육	십칠	십팔	십구	이십

1~20의 수를 앞에서부터 차례대로 세는 연습을 하면서 수의 순서를 익혀요.

20 큰 수부터 쓰기

순서에 맞게 수를 써요

정답 107쪽

순서에 맞게 수를 써요

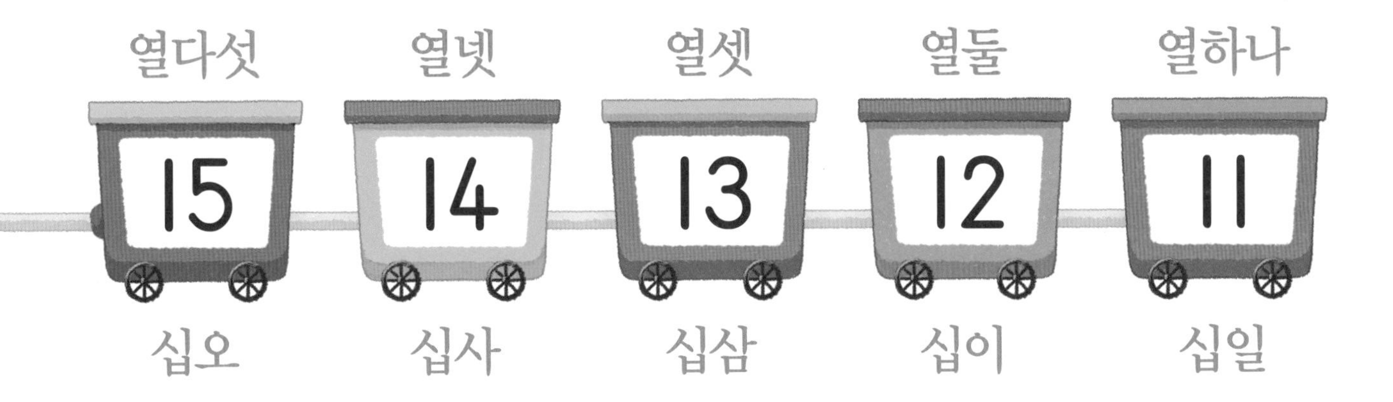

열
아홉
여덟
일곱
여섯
다섯
넷
셋
둘
하나
10
9
8
6
5
3
2
십
구
팔
칠
육
오
사
삼
이
일

1~20의 수를 뒤에서부터 세는 연습을 하면서 거꾸로 수의 순서를 익혀요.

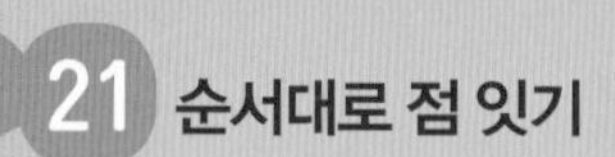

21 순서대로 점 잇기

1부터 20까지의 수로 그림을 그려요

정답 108쪽

1부터 20까지의 수로 그림을 그려요

점 잇기를 통해 1~20의 수의 순서를 익혀요.

22 1 큰 수, 1 작은 수

바로 앞의 수, 바로 뒤의 수를 써요

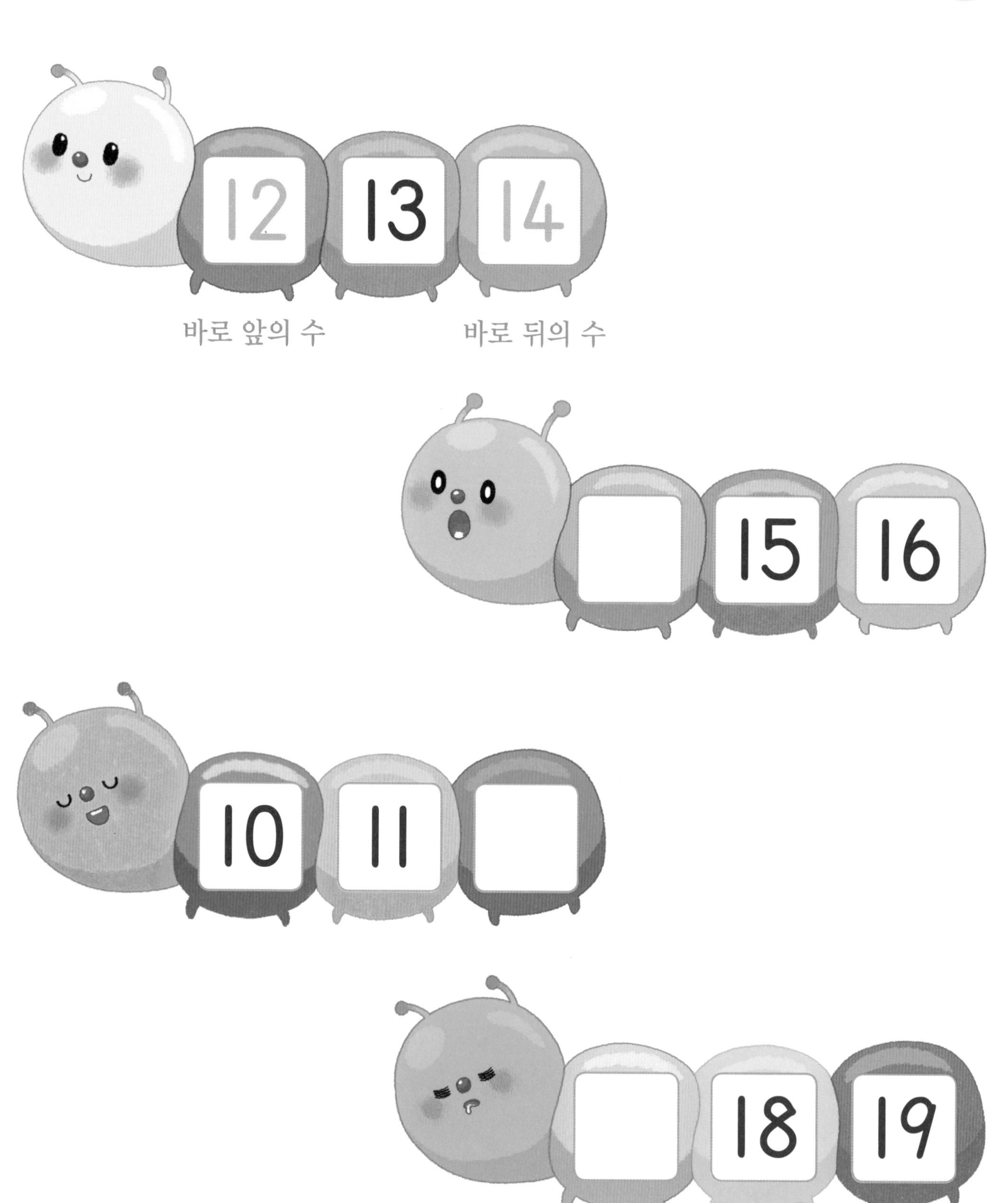

정답 108쪽

사이의 수, 양 끝의 수를 써요

1 큰 수와 1 작은 수는 수를 순서대로 놓았을 때 바로 뒤의 수와 바로 앞의 수예요.

23 더 큰 수, 더 작은 수

수를 세어 쓰고 더 큰 수를 찾아요

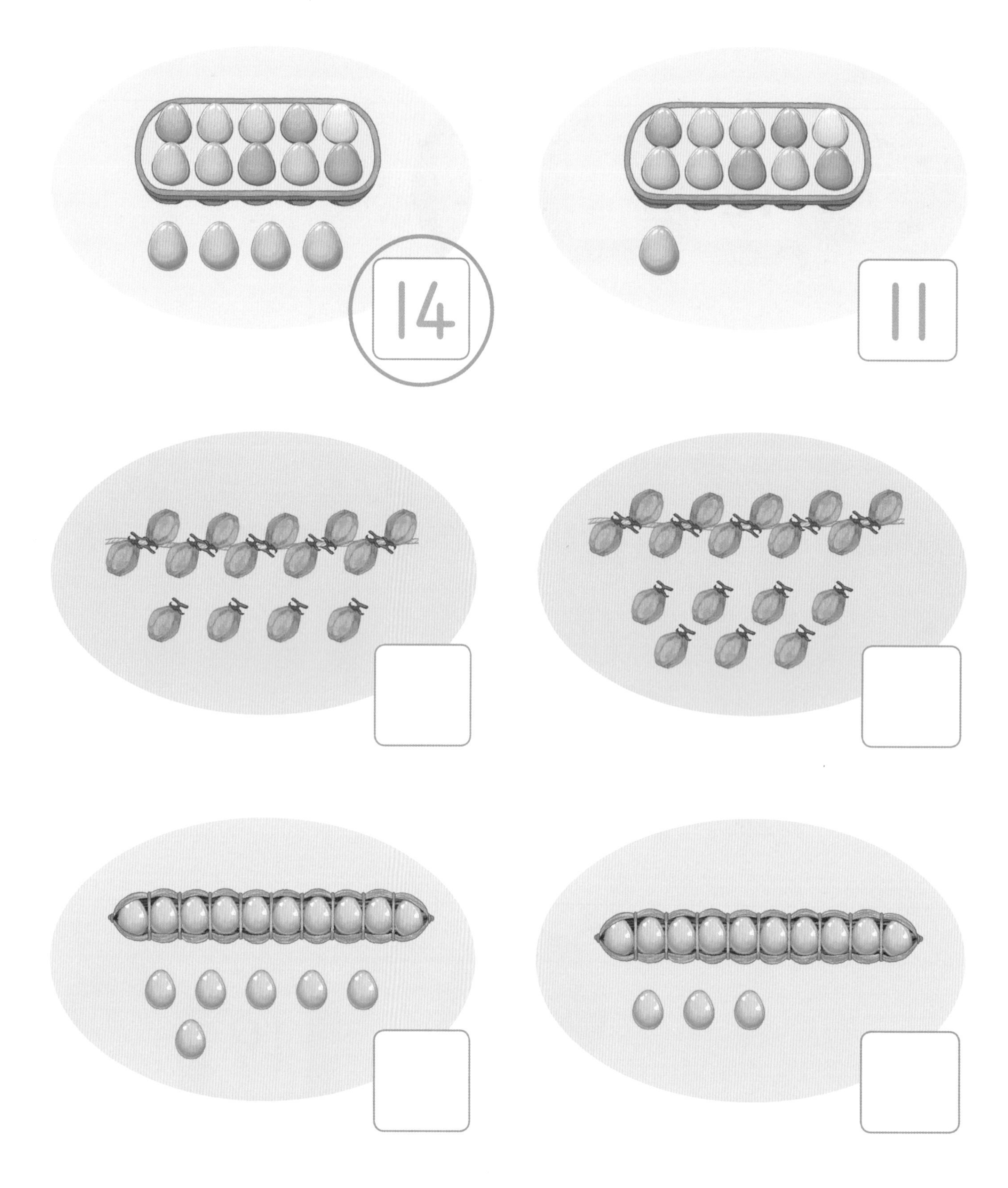

정답 109쪽

수를 세어 쓰고 더 작은 수를 찾아요

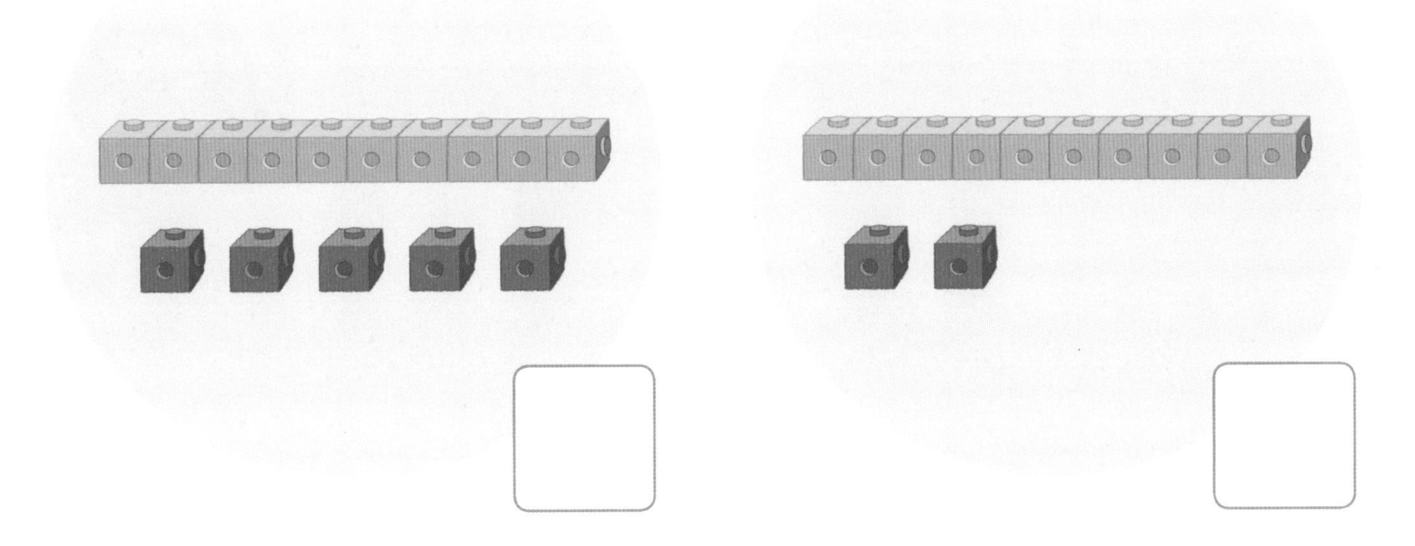

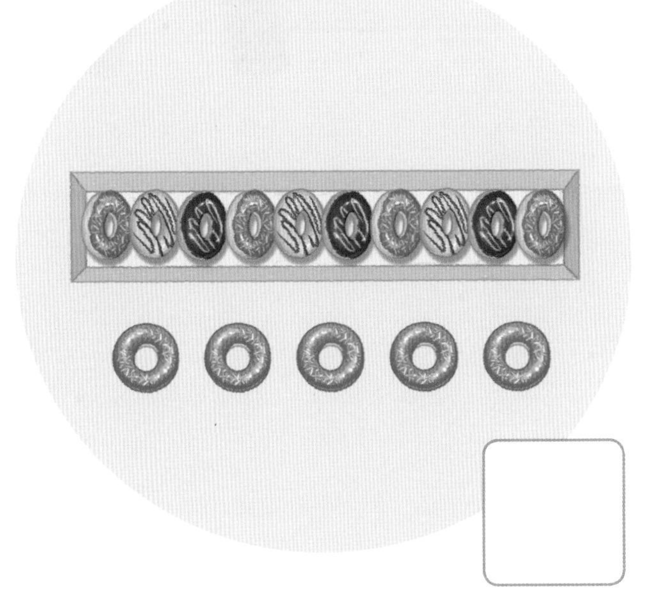

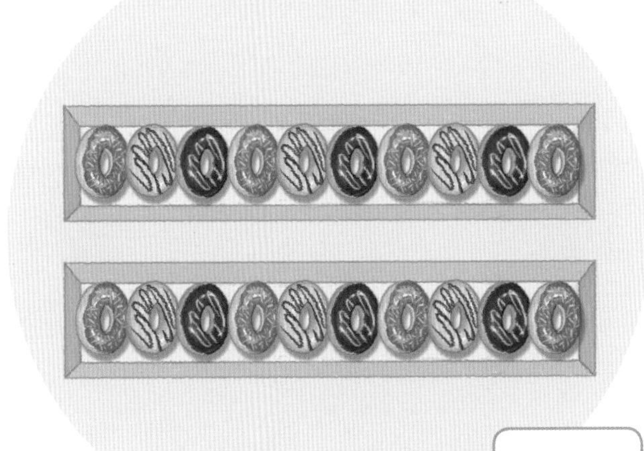

두 수의 크기를 비교할 때는 수의 순서에서 어디에 놓이는지 생각해 보거나
하나씩 짝을 지어 보았을 때 어느 쪽이 남는지 비교해요.

숫자로 그림을 그려요

1부터 9까지의 숫자로 그림을 그려 볼까요?

3과정

50까지의 수

24 열, 스물, 서른, 마흔, 쉰

그림의 수를 세요

귤이
하나, 둘, 셋, 넷, 다섯, 여섯,
일곱, 여덟, 아홉, 열

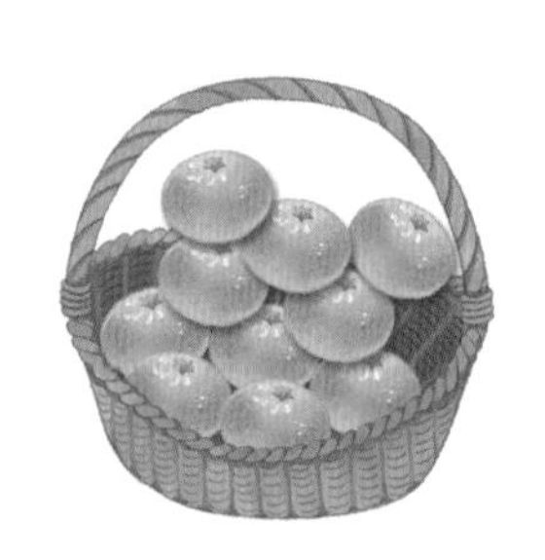

귤이 10개씩 담긴 바구니가
하나, 둘이므로 스물

귤이 10개씩 담긴 바구니가
하나, 둘, 셋이므로 서른

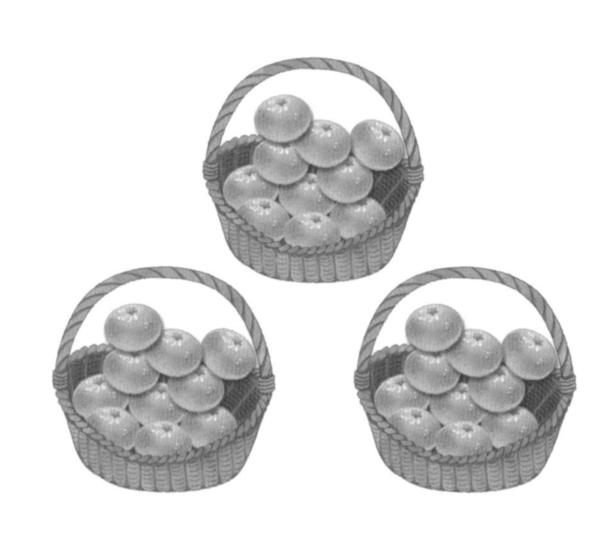

정답 110쪽

그림의 수를 세요

귤이 10개씩 담긴 바구니가
하나, 둘, 셋, 넷이므로 마흔

귤이 10개씩 담긴 바구니가
하나, 둘, 셋, 넷, 다섯이므로 쉰

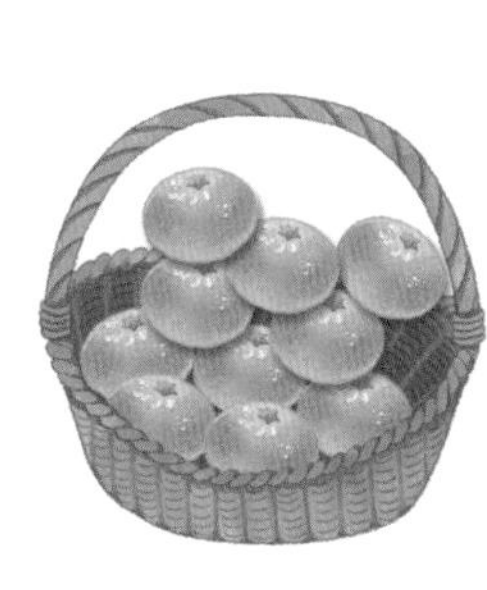

10개 묶음이 몇 개인지 세면서 "열, 스물, 서른, 마흔, 쉰"을 소리내어 말해요.

25 10, 20, 30, 40, 50 쓰기

몇인지 세어 보고 수를 따라 써요

토마토가 10개 있어요.

10 10 10 10

열, 십

토마토가 20개 있어요.

20 스물, 이십

20 20 20

토마토가 30개 있어요.

30 서른, 삼십

30 30 30

정답 110쪽

몇인지 세어 보고 수를 따라 써요

토마토가 40개 있어요.

마흔, 사십

40 40 40

토마토가 50개 있어요.

50 쉰, 오십

50 50 50

"10, 20, 30, 40, 50"을 읽는 두 가지 방법을 연습해요.

26 21~29의 수 알기

블록을 보고 수를 써요

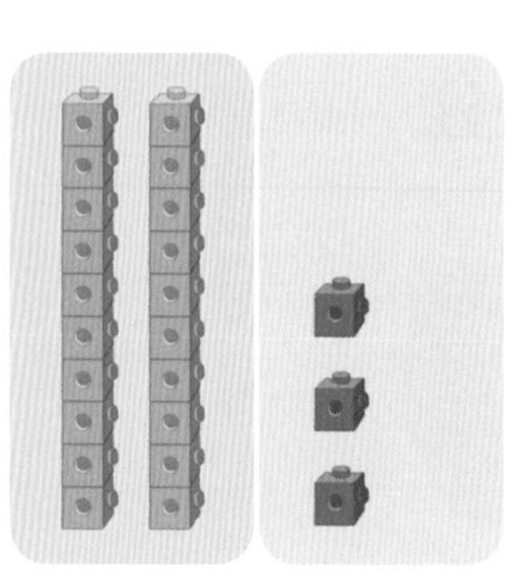

2 3 스물셋 이십삼

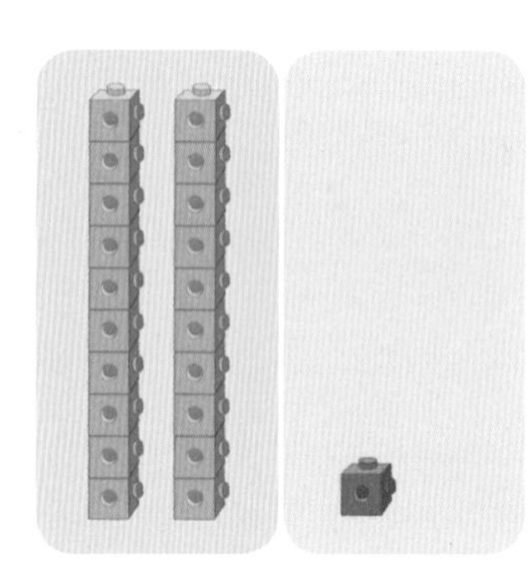

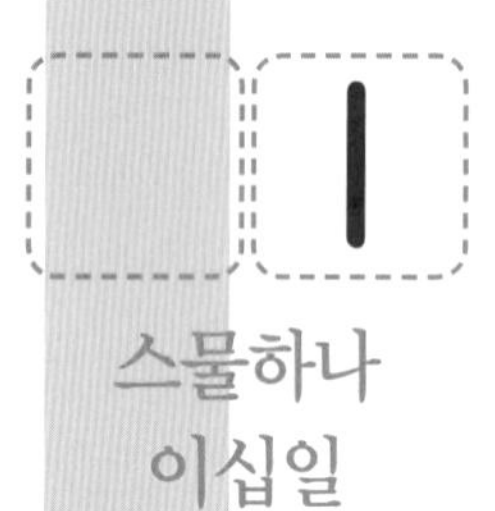

1

스물하나
이십일

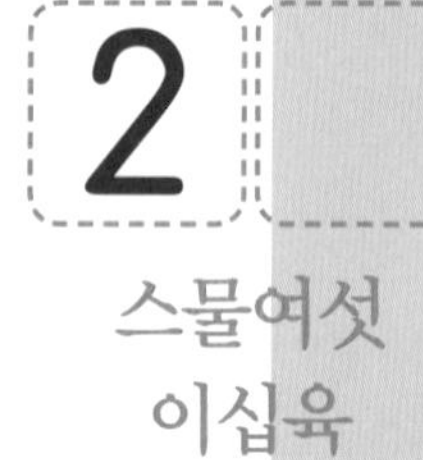

2

스물여섯
이십육

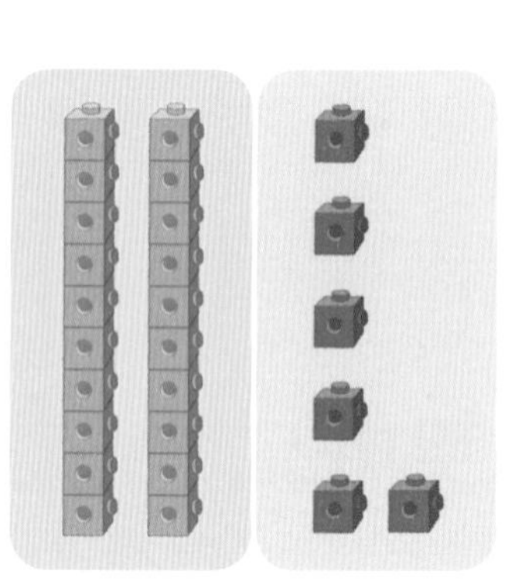

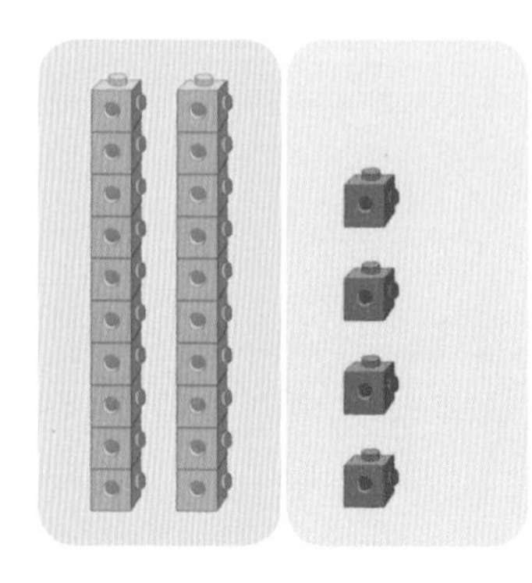

4

스물넷
이십사

2

스물아홉
이십구

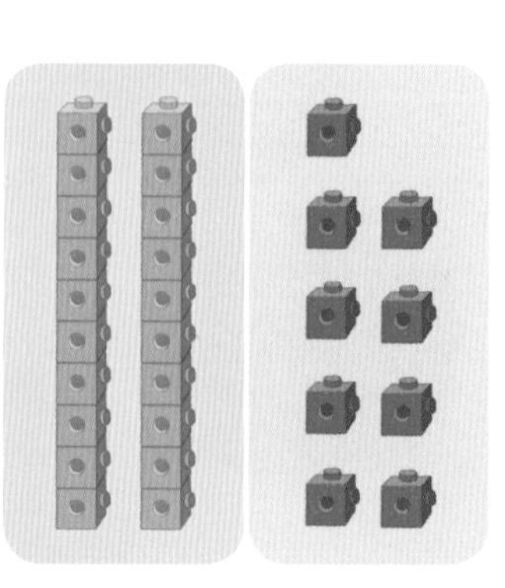

정답 111쪽

수를 보고 블록을 붙여요

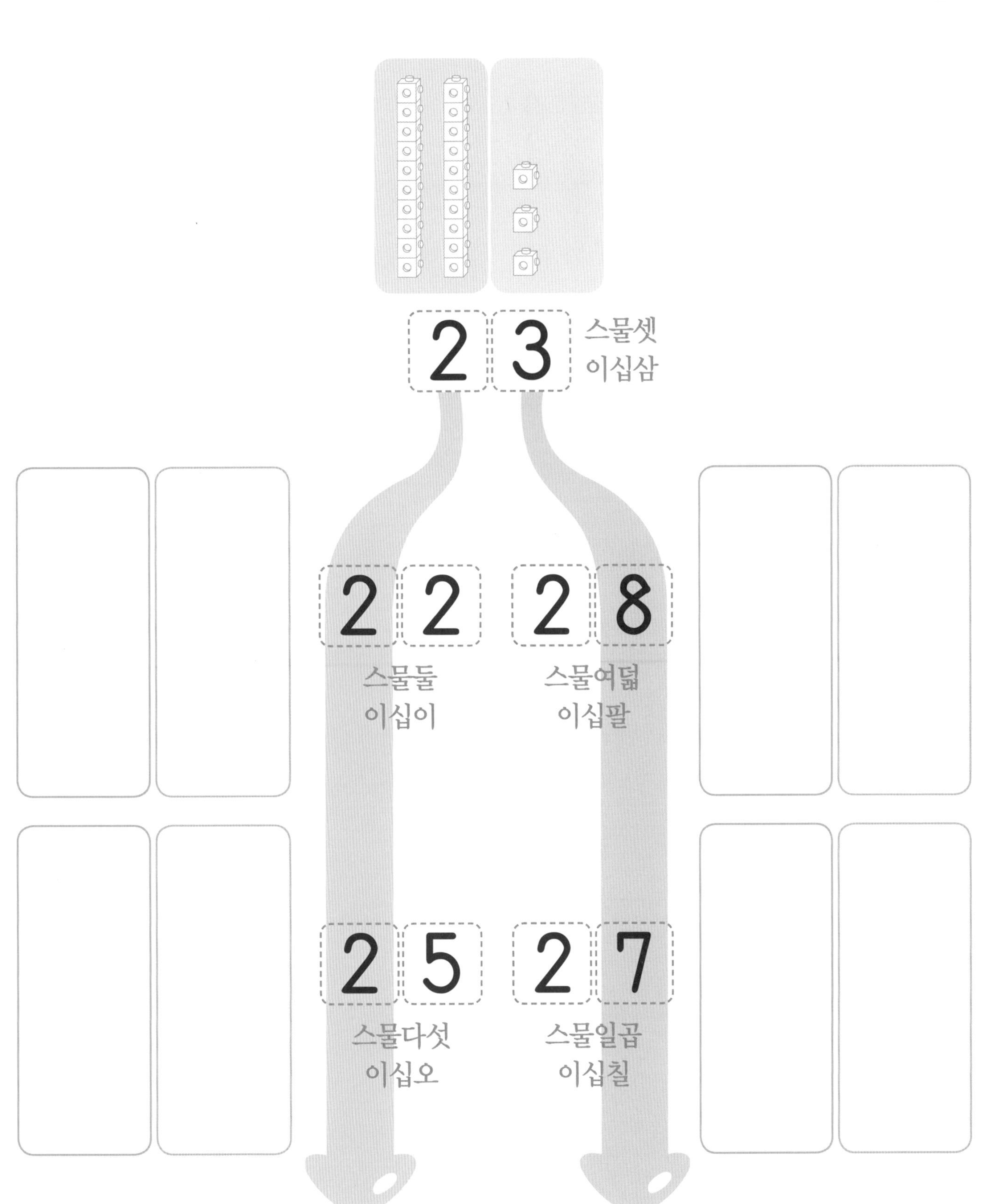

21부터 29까지의 수를 10개씩 묶음의 수와 낱개의 수로 나누어 익혀요.

27 31~39의 수 알기

블록을 보고 수를 써요

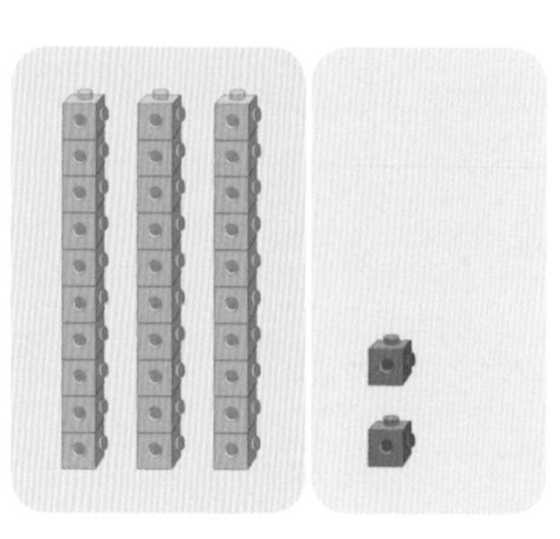

3 2 서른둘 삼십이

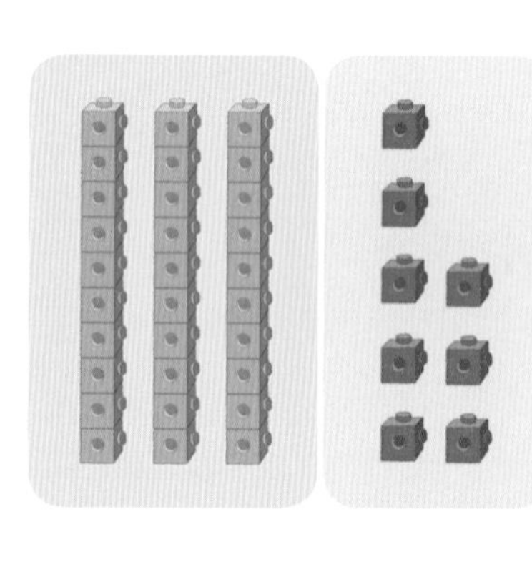

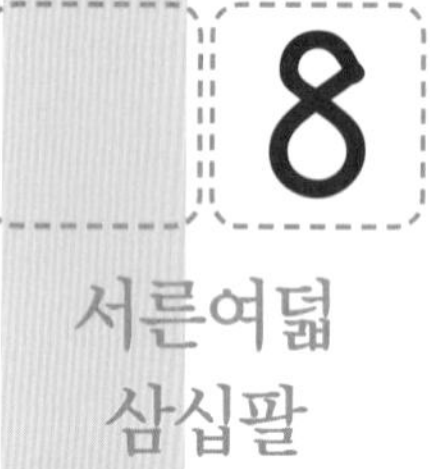

8

서른여덟 삼십팔

3

서른다섯 삼십오

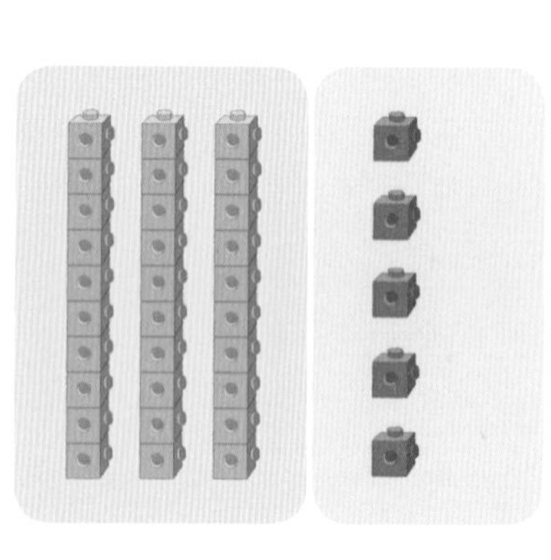

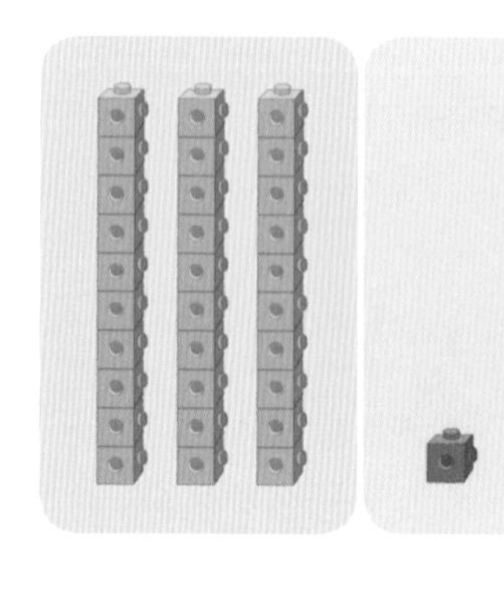

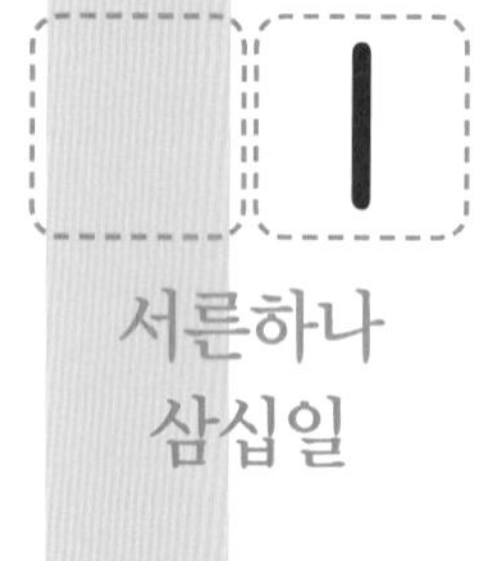

1

서른하나 삼십일

3

서른여섯 삼십육

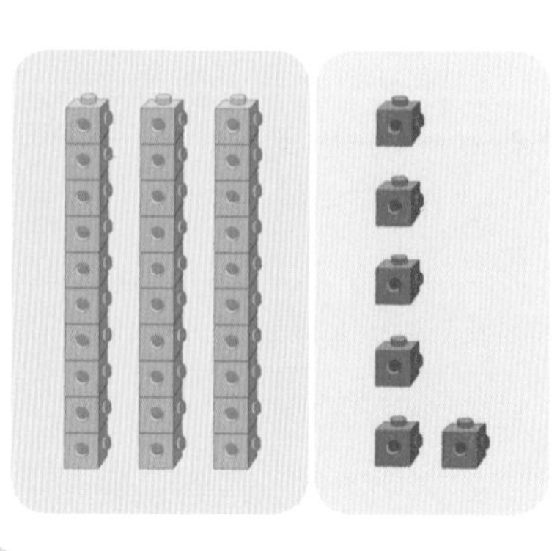

정답 111쪽

수를 보고 블록을 그려요

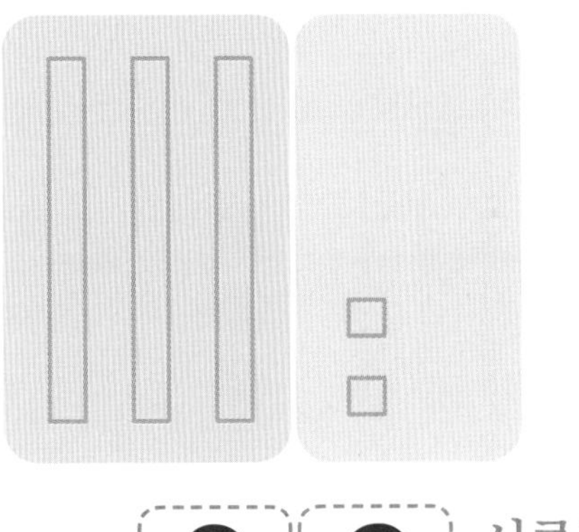

3 2 서른둘 삼십이

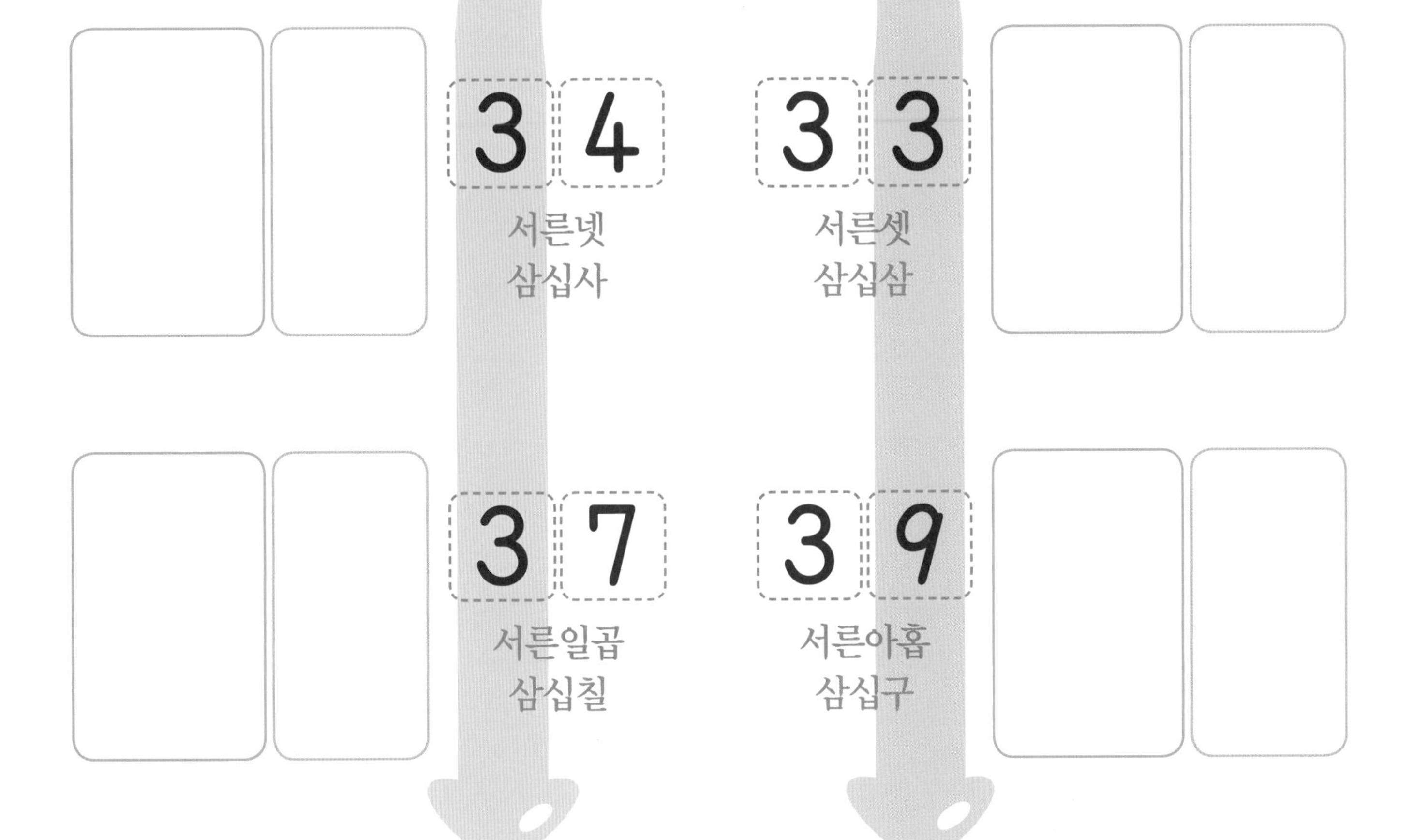

십의 자리 수, 일의 자리 수라는 용어 대신 두 자리 수의 앞에 놓이는 수와 뒤에 놓이는 수로 이야기해 보세요.

블록을 보고 수를 써요

활동 수업

수 쓰기
3

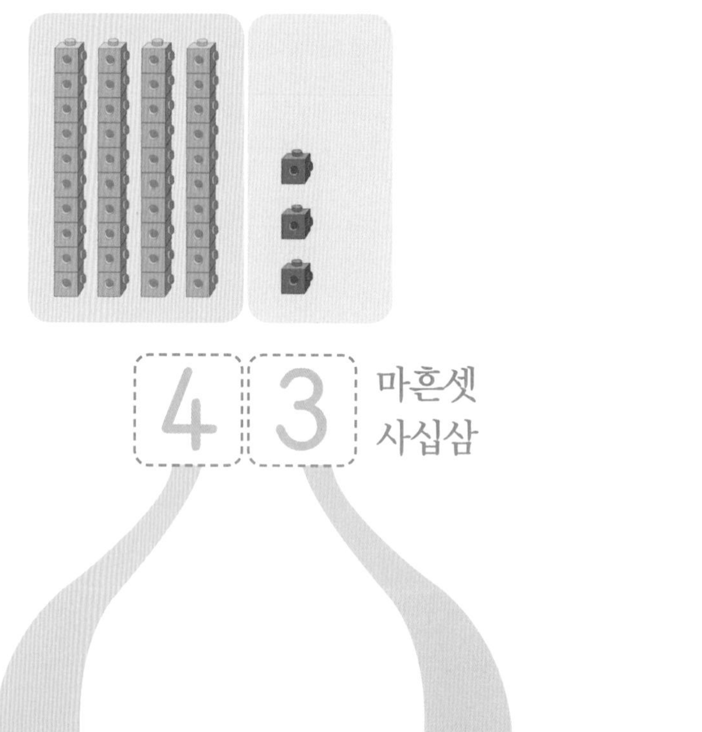
4 3
마흔셋
사십삼

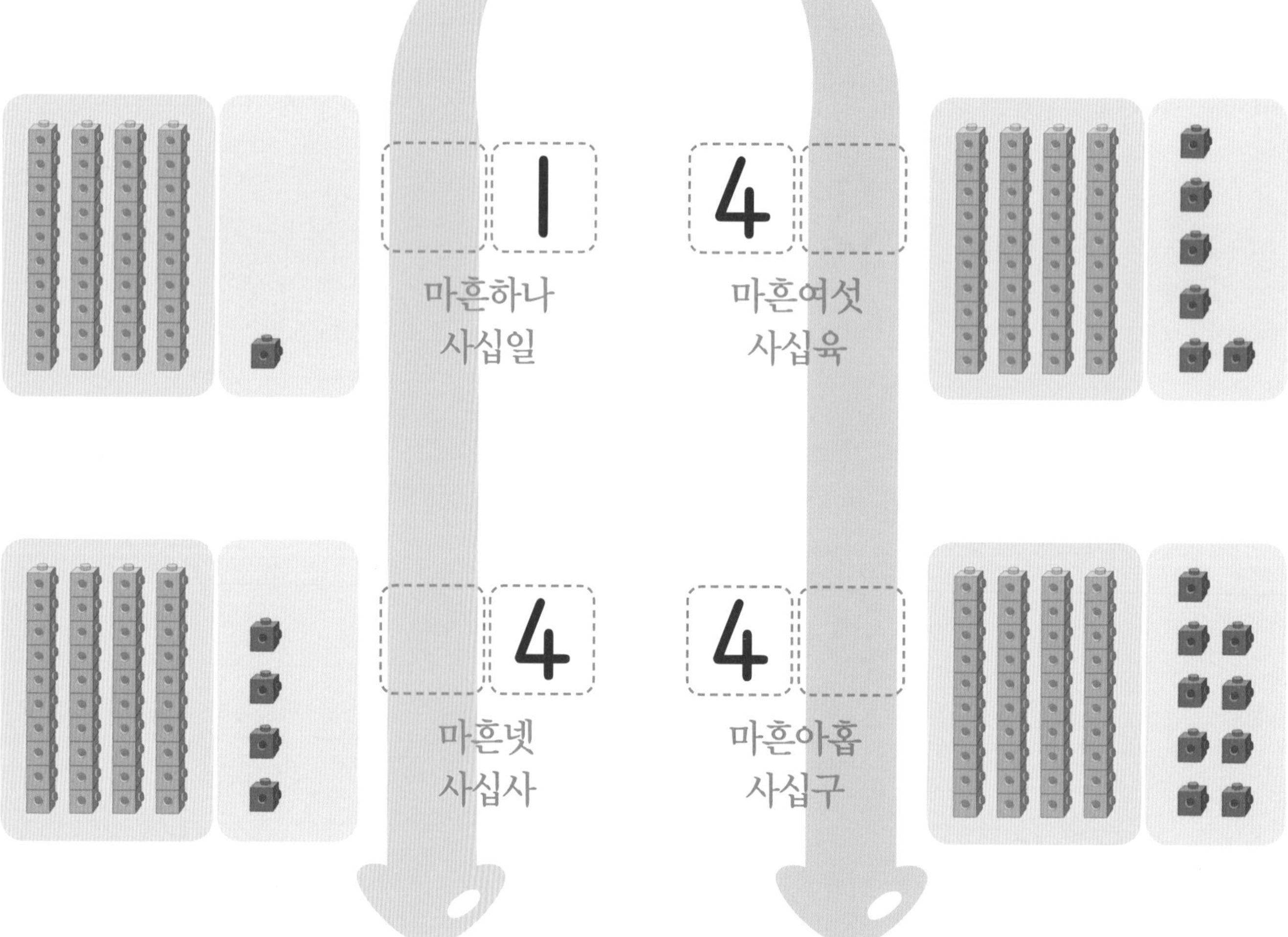
1
마흔하나
사십일
4
마흔여섯
사십육
4
마흔넷
사십사
4
마흔아홉
사십구

정답 112쪽

수를 보고 블록을 그려요

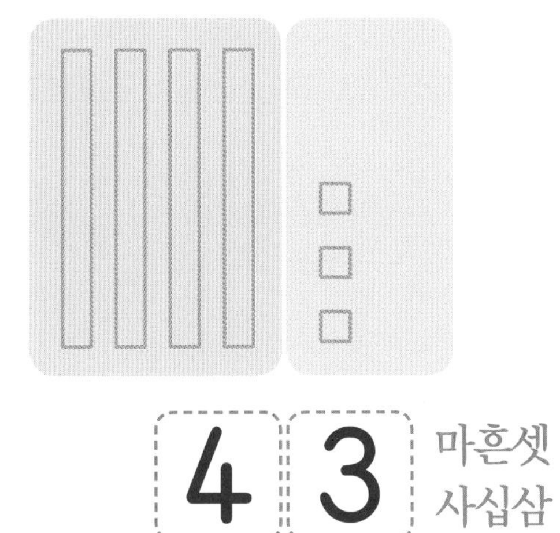

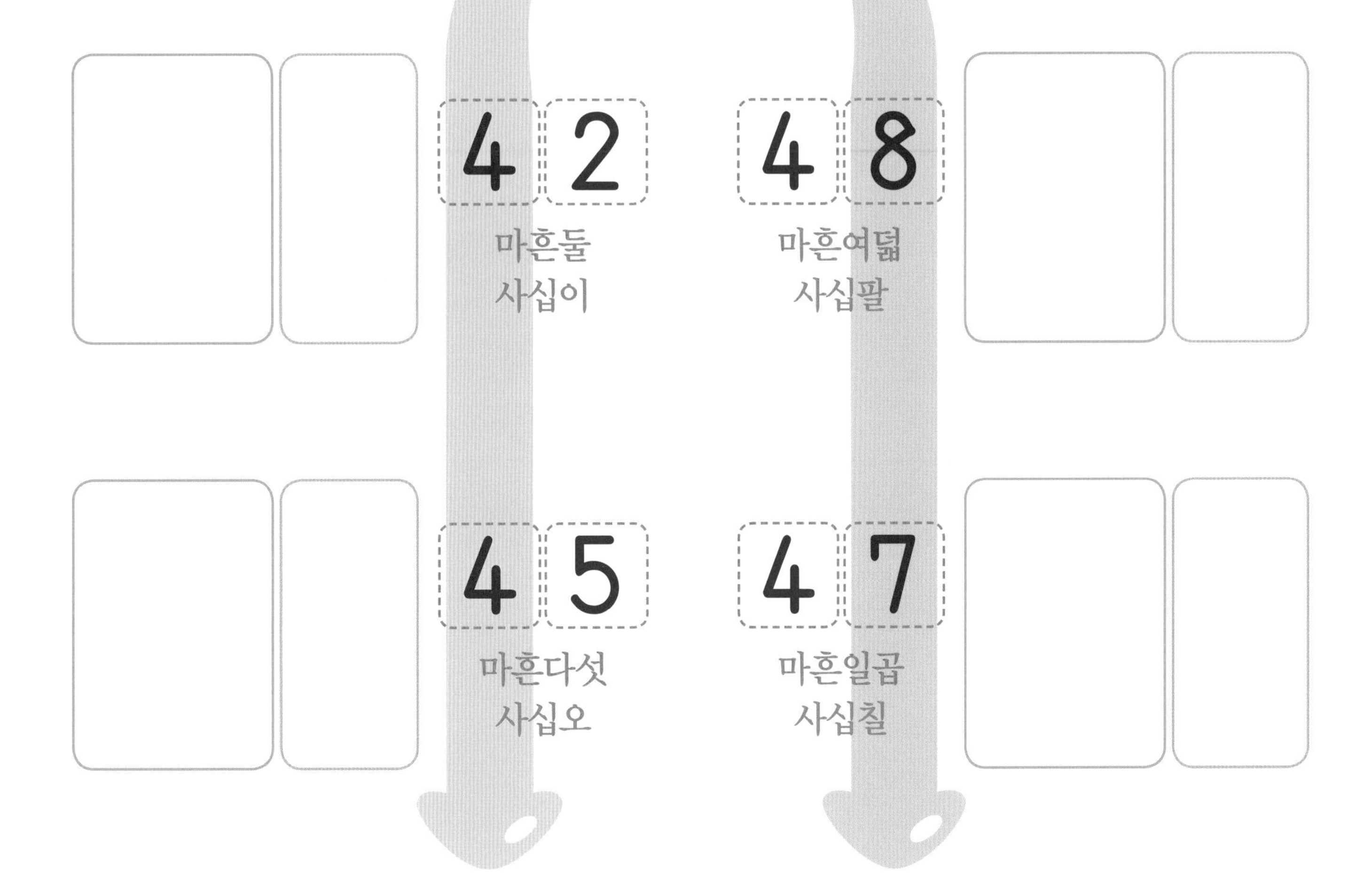

Guide 두 자리 수를 읽는 두 가지 방법에 익숙해지도록 연습해요.

29 21~49의 수 세기

몇인지 세어 보고 수를 써요

스물다섯, 이십오

25

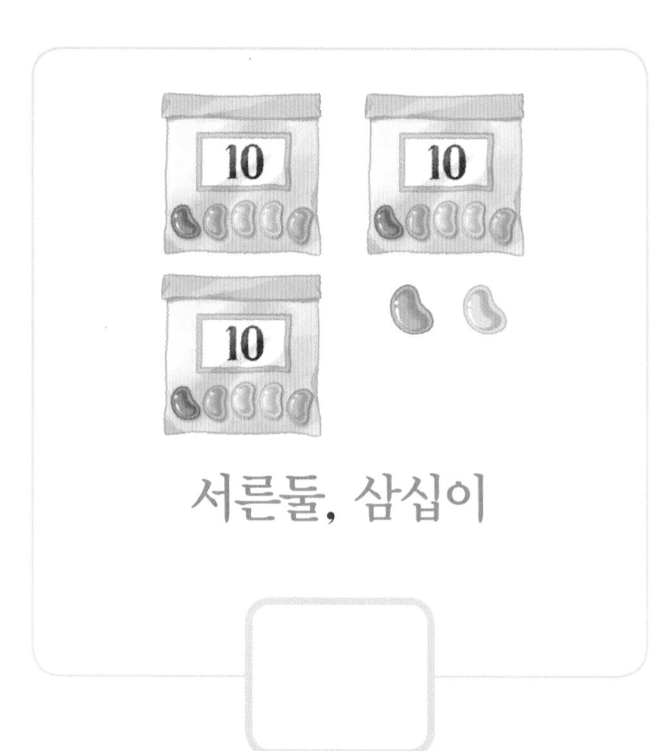

서른둘, 삼십이

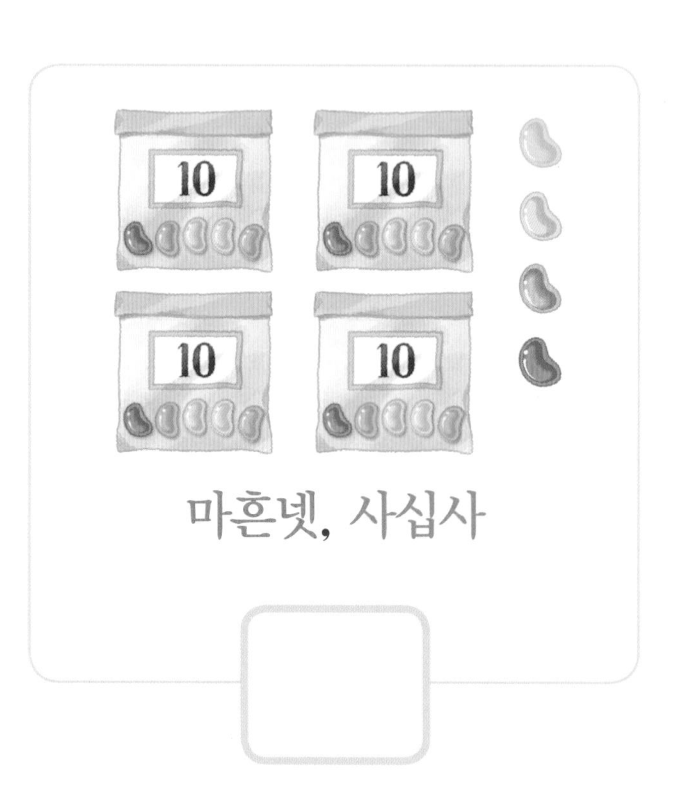

마흔넷, 사십사

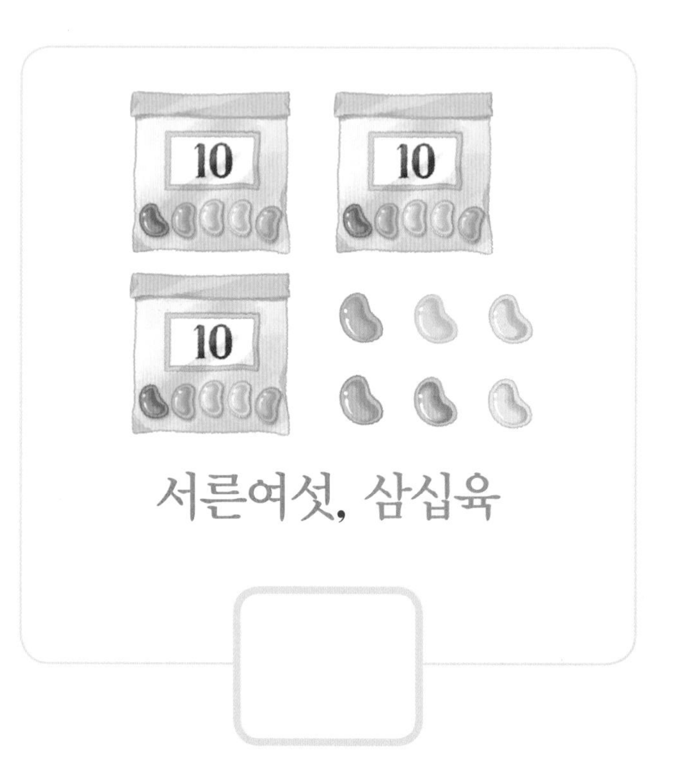

서른여섯, 삼십육

정답 112쪽

몇인지 세어 보고 수를 써요

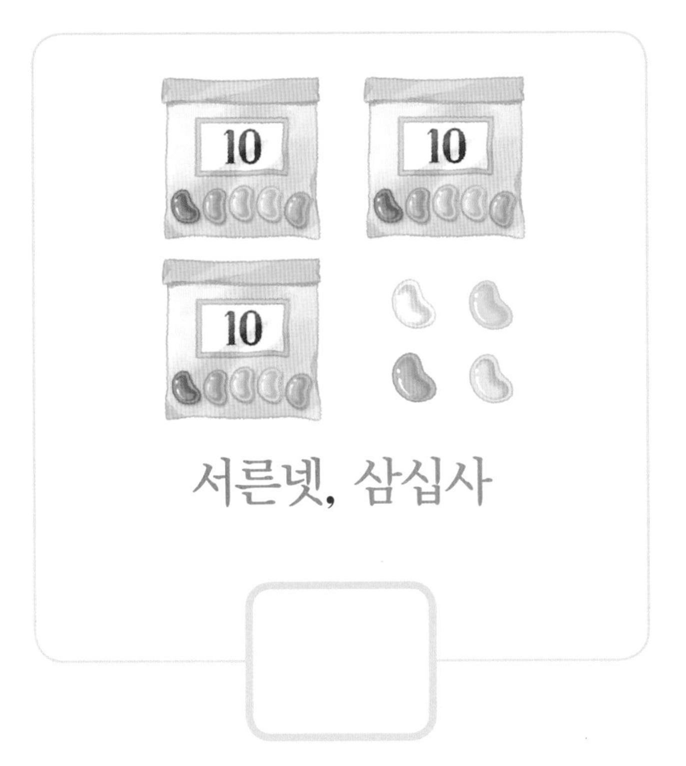

서른넷, 삼십사

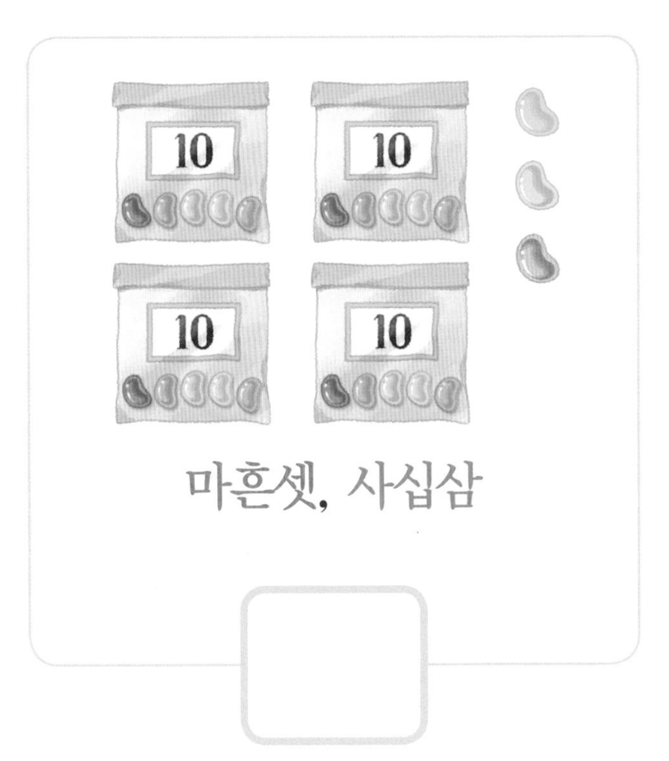

마흔셋, 사십삼

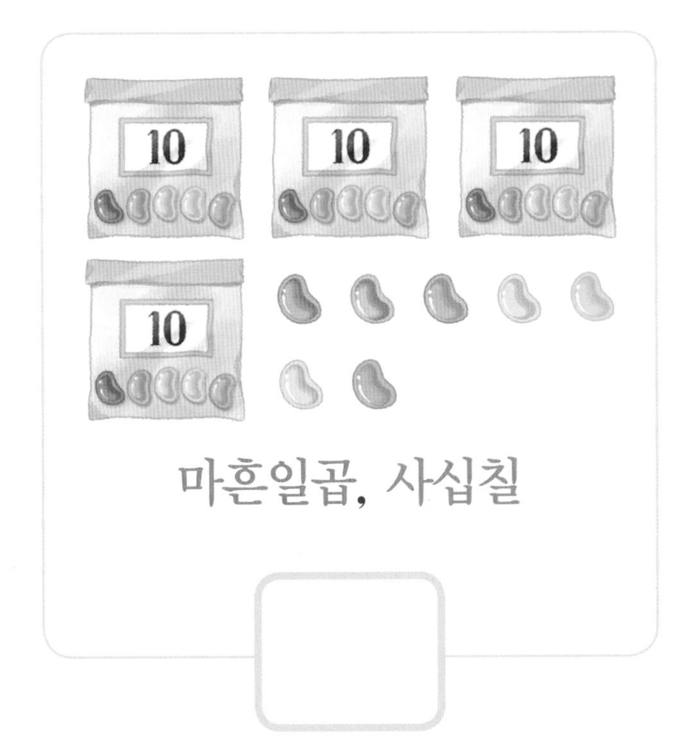

마흔일곱, 사십칠

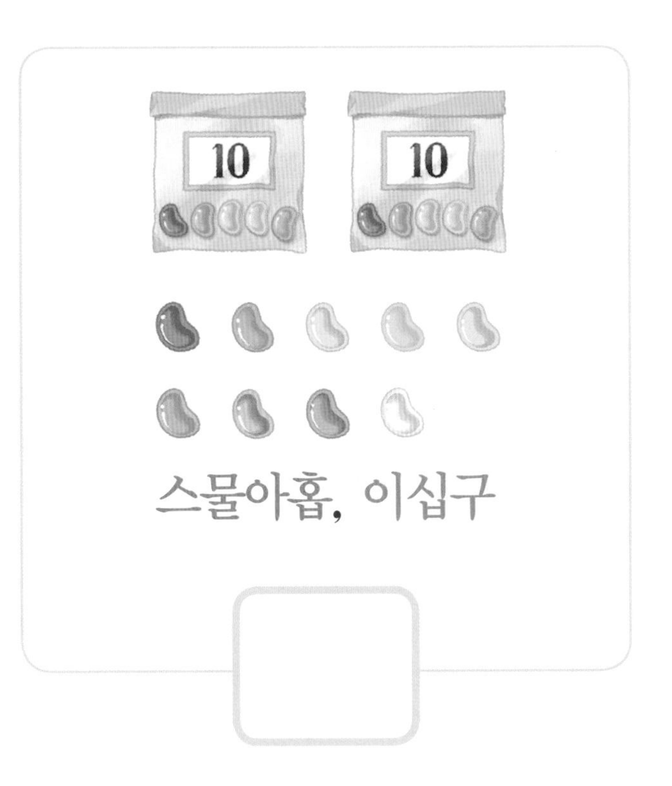

스물아홉, 이십구

10개씩 묶음의 수를 먼저 읽고 낱개의 수를 읽는 연습을 반복해 보세요.

30 작은 수부터 쓰기

순서에 맞게 수를 써요

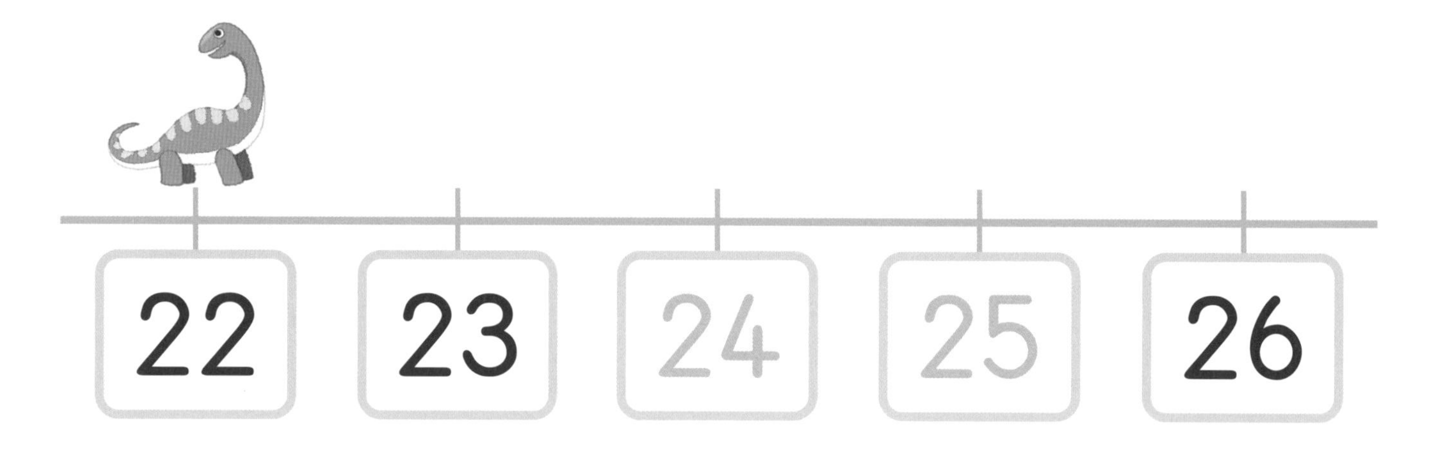

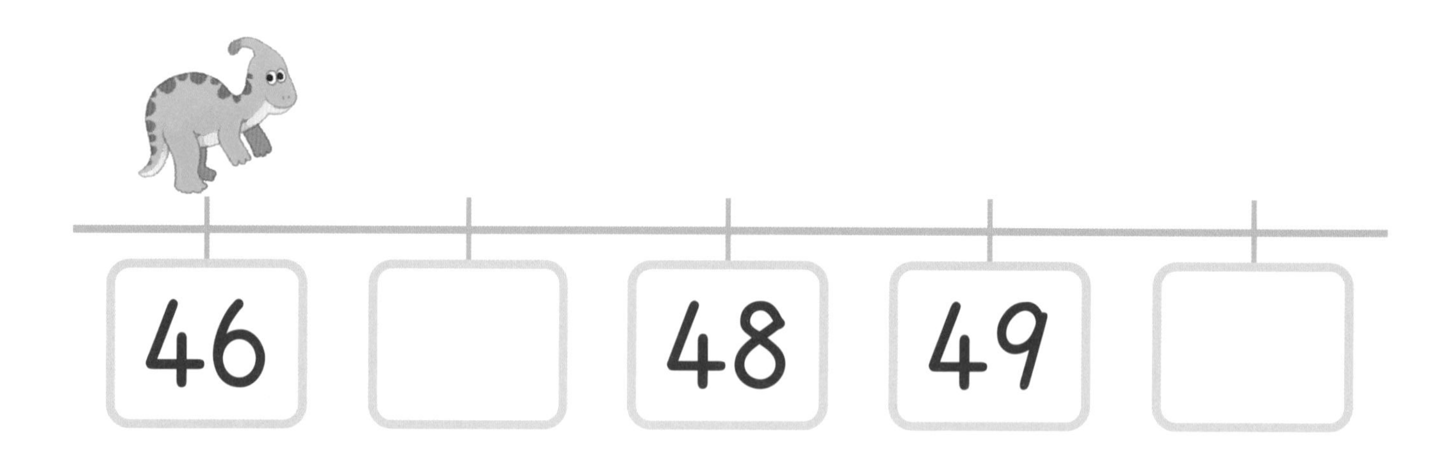

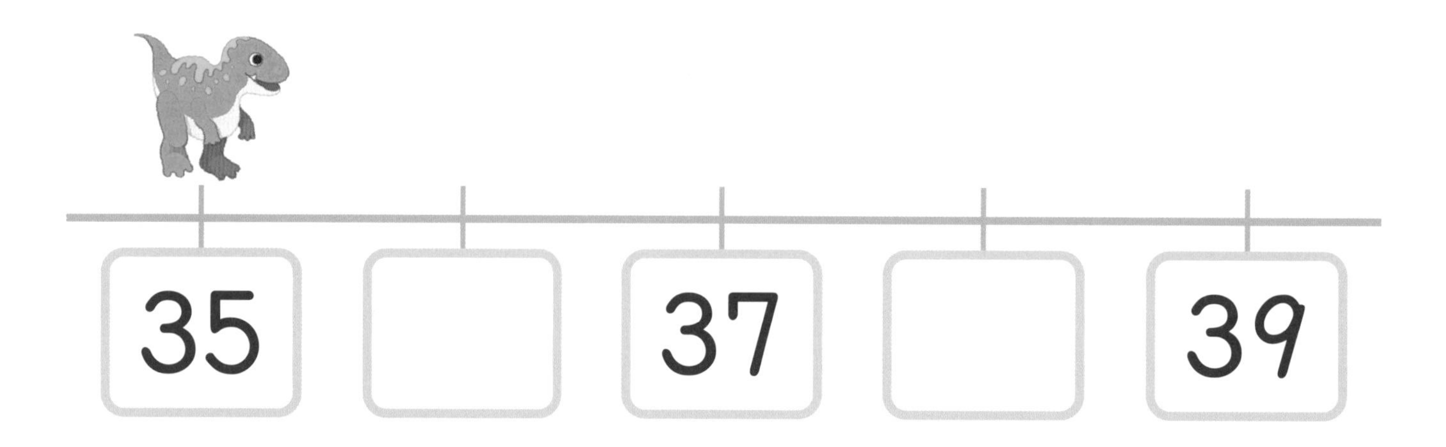

정답 113쪽

순서에 맞게 수를 써요

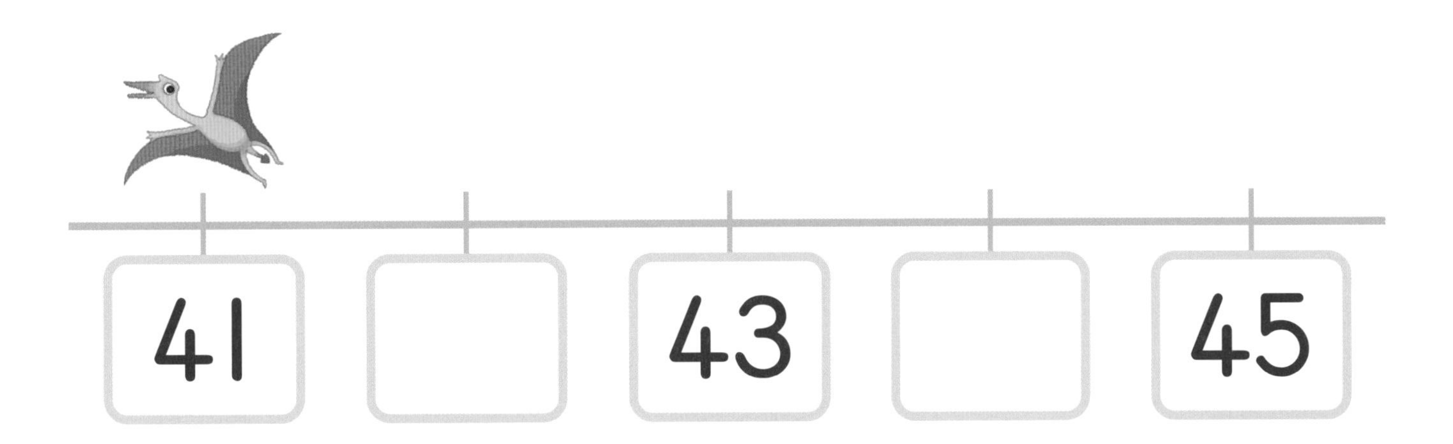

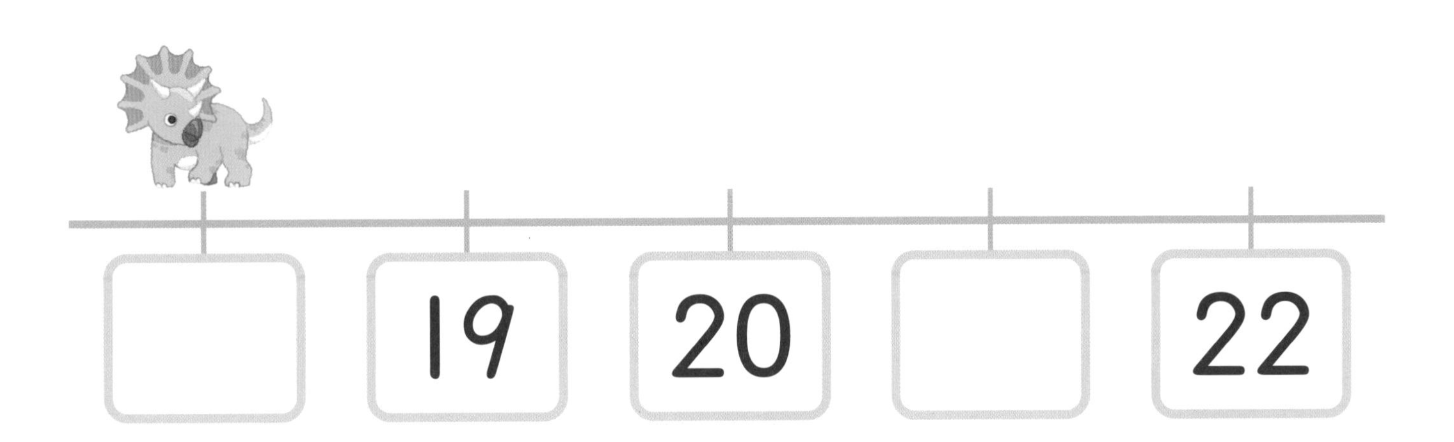

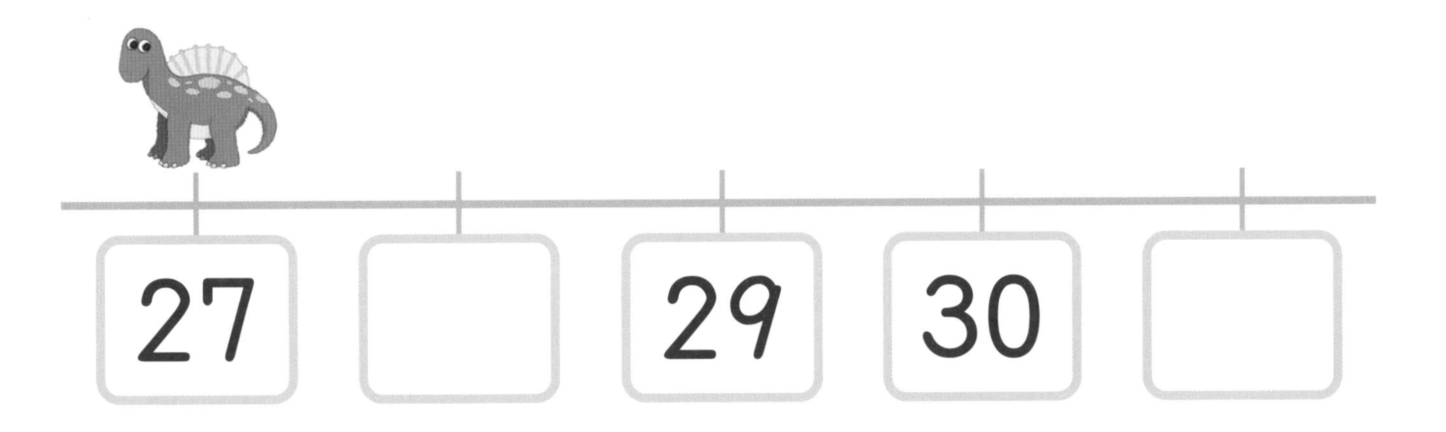

1~50의 수를 어느 곳에서 시작해도 차례대로 셀 수 있도록 연습해요.

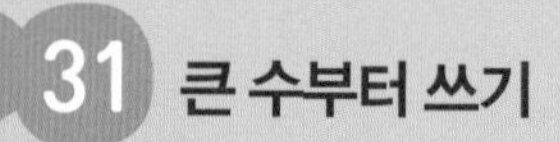

50부터 10씩 작아지게 수를 써요

정답 113쪽

50부터 1씩 작아지게 수를 써요

1~50의 수를 뒤에서부터 거꾸로 읽어 보면서 앞뒤의 순서를 익혀요.

32 순서대로 점 잇기

1부터 25까지의 수로 그림을 그려요

정답 114쪽

26부터 50까지의 수로 그림을 그려요

1~50의 수의 순서를 점 잇기를 통해 연습해요. 순서대로 점과 점을 이어갈 수 있도록 도와주세요.

33 1 큰 수, 1 작은 수

바로 앞의 수, 바로 뒤의 수를 써요

바로 앞의 수　　　　　　바로 뒤의 수

정답 114쪽

사이의 수, 양 끝의 수를 써요

1 큰 수와 1 작은 수는 수를 순서대로 놓았을 때 바로 뒤의 수와 바로 앞의 수예요.

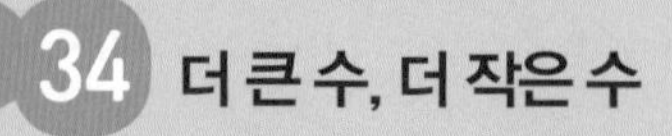

더 큰 수를 찾아 깃발을 붙여요

정답 115쪽

더 작은 수를 찾아 깃발을 붙여요

1부터 50까지의 수의 순서를 작은 수부터 차례대로 생각해 볼 때
앞쪽에 있는 수가 더 작은 수, 뒤쪽에 있는 수가 더 큰 수임을 이해할 수 있도록 연습해요.

그림자를 찾아요

내 그림자는 어느 것일까요?

4 과정

100까지의 수

35 51~99의 수 세기

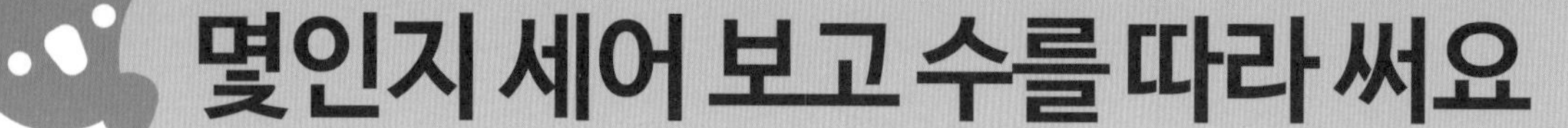

몇인지 세어 보고 수를 따라 써요

오징어가 10마리씩 묶여 있는 끈이
하나, 둘, 셋, 넷, 다섯, 여섯, 일곱, 여덟, 아홉이니까 90, 구십, 아흔
묶여 있지 않은 오징어가
하나, 둘, 셋, 넷, 다섯, 여섯, 일곱이니까 7, 칠, 일곱

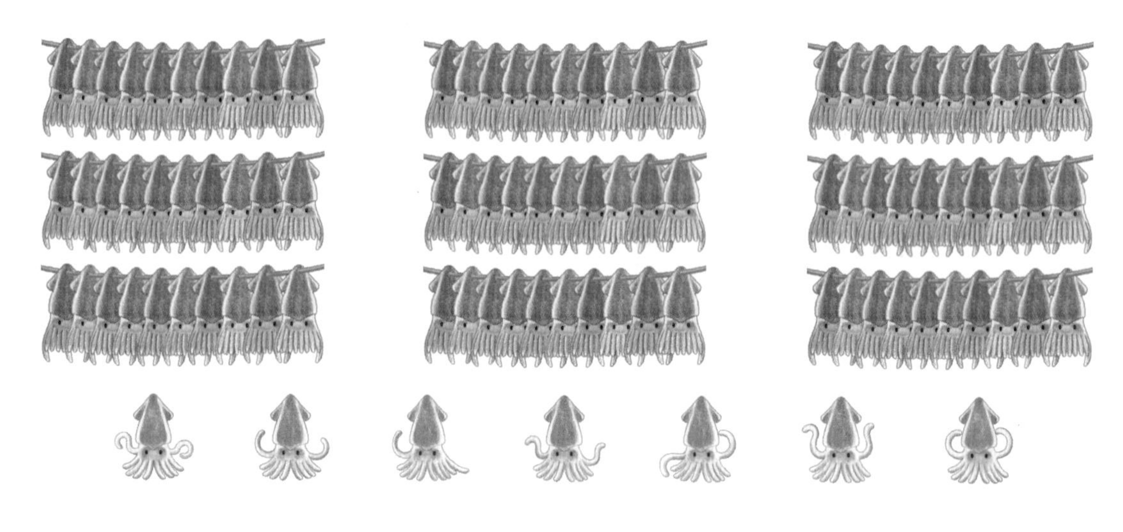

오징어는 모두 97 97 아흔일곱 구십칠

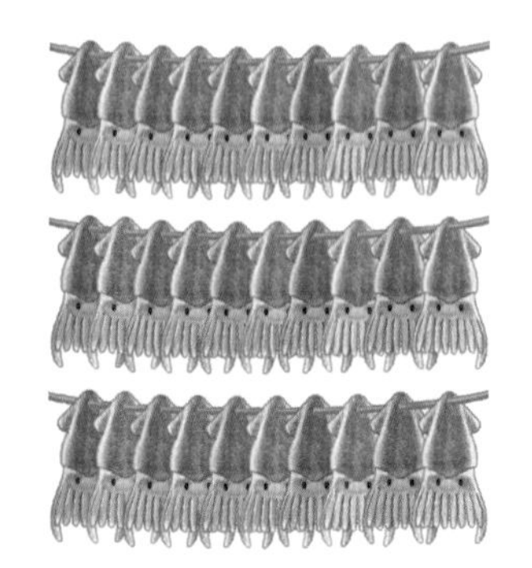

54 54
쉰넷
오십사

정답 116쪽

몇인지 세어 보고 수를 따라 써요

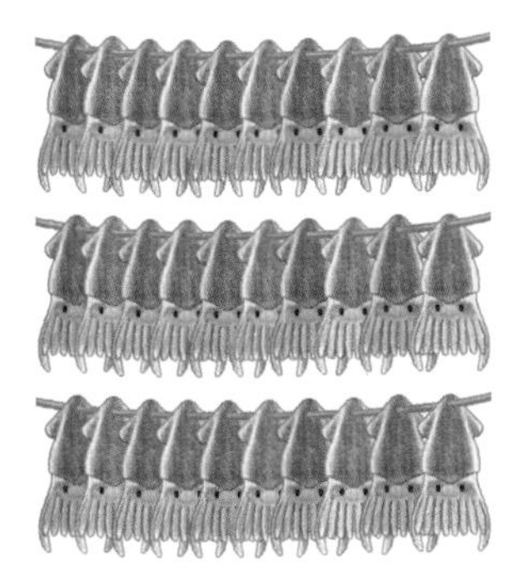
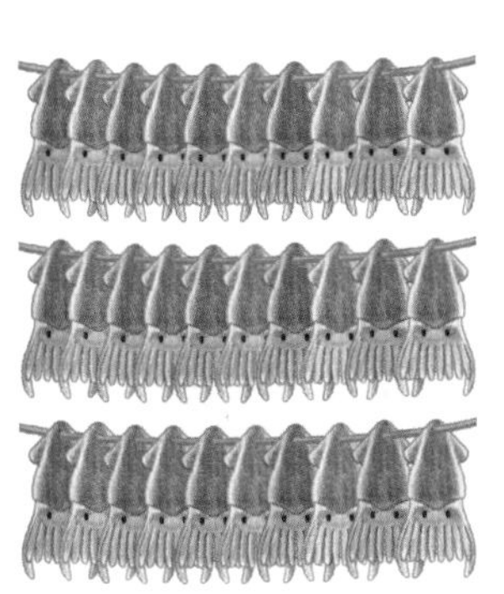

63 63

예순셋
육십삼

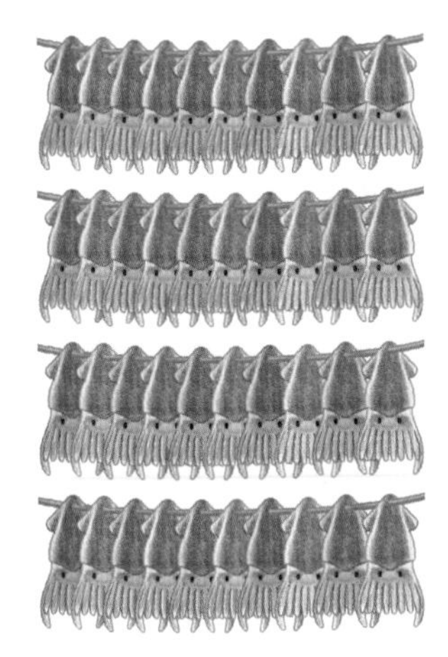
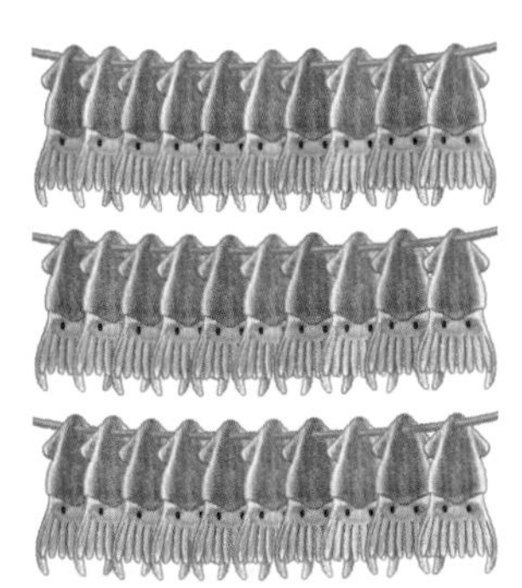

72 72

일흔둘
칠십이

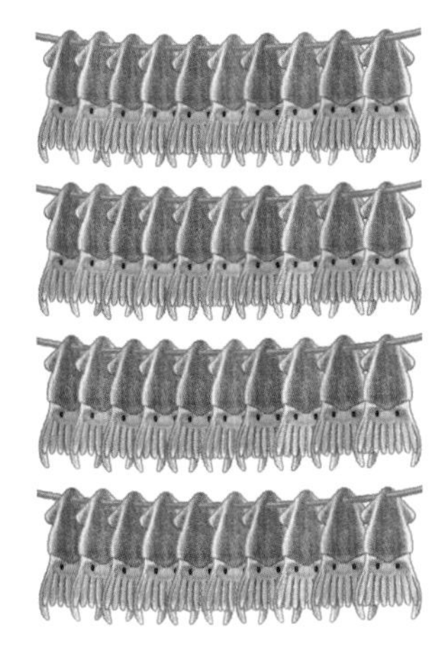
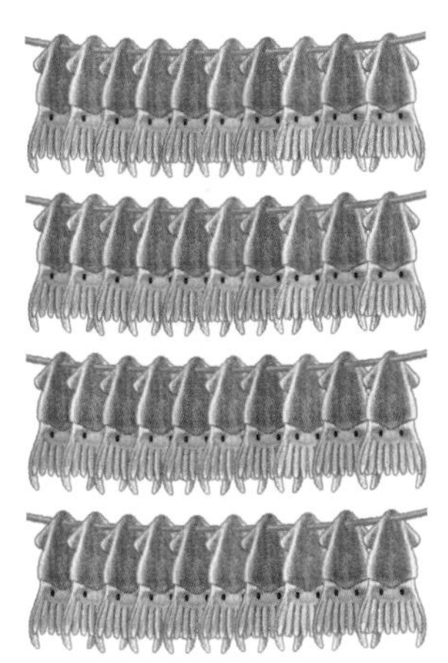

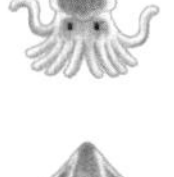

여든다섯
팔십오

큰 수를 셀 때에는 10개씩 묶음과 낱개의 수로 몇십몇의 수를 셀 수 있게 연습해요.

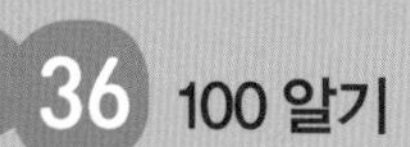

36 100 알기

몇인지 세어 보고 수를 따라 써요

9보다 1 큰 수, 9 다음의 수는 10입니다.
99보다 1 큰 수, 99 다음의 수는 100입니다.

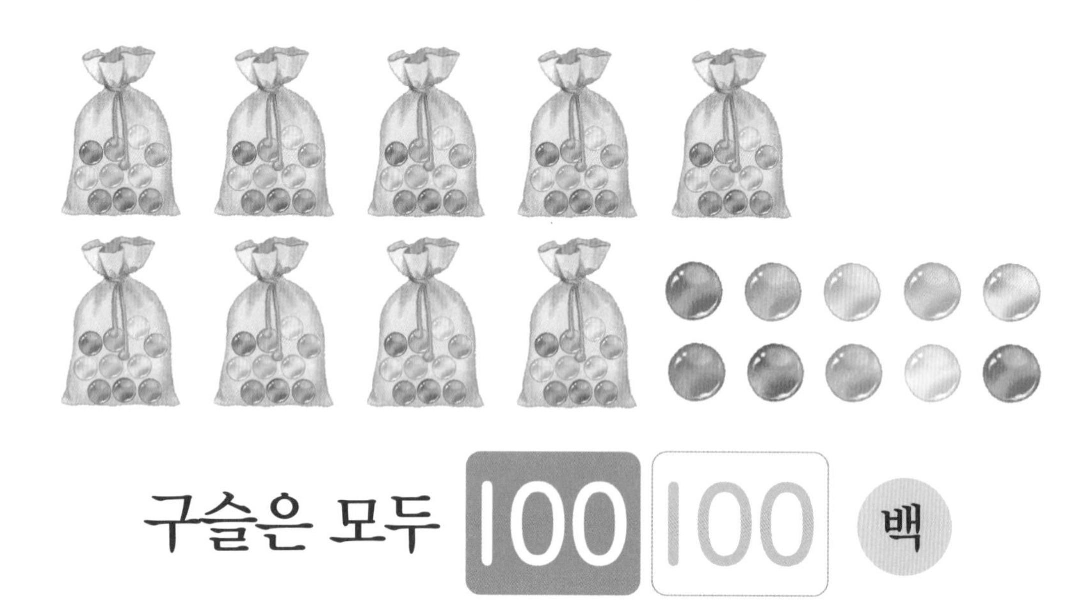

구슬은 모두 100 100 백

10장씩 들어 있는 카드 상자 10개에 들어 있는 카드는
모두 100장입니다.

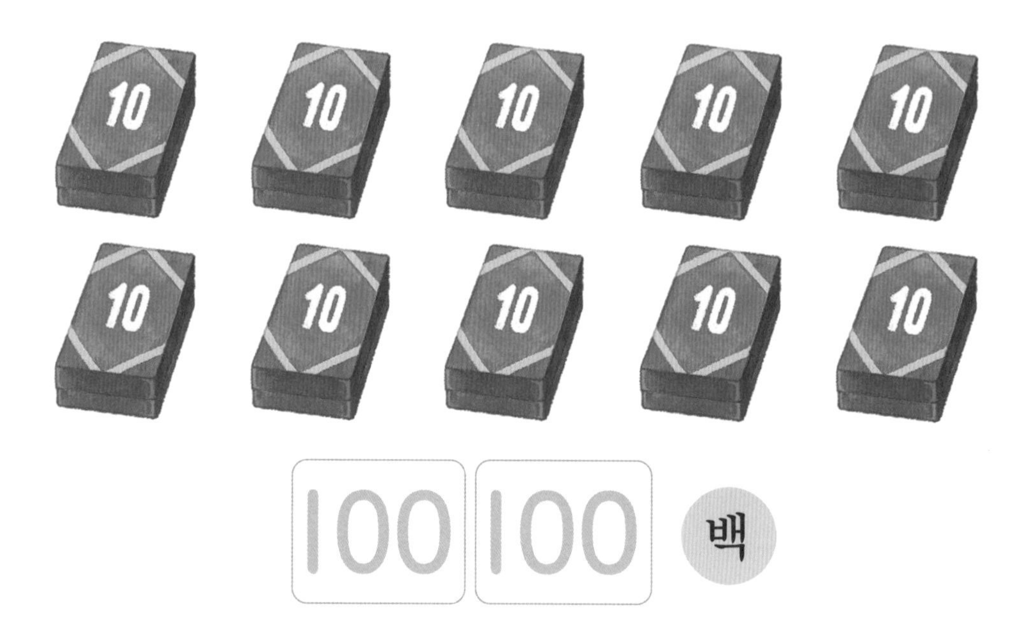

100 100 백

정답 116쪽

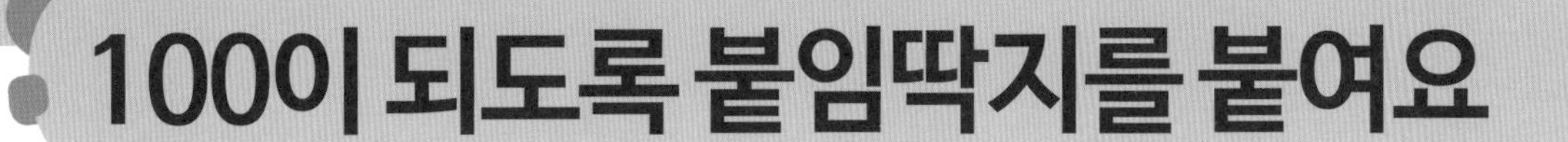

100이 되도록 붙임딱지를 붙여요

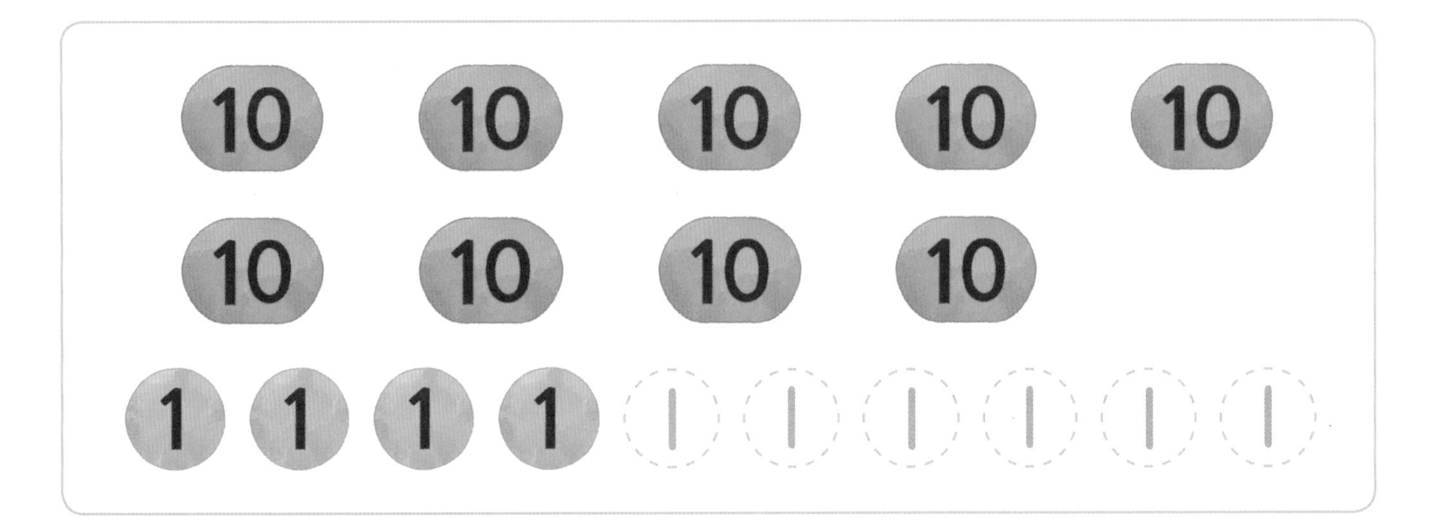

Guide 99 다음의 수, 10개씩 10묶음의 수, 99보다 1 큰 수, 90보다 10 큰 수 등 여러 가지 방법으로 100을 알아보는 연습을 해요.

37 작은 수부터 쓰기

5씩 커지는 순서에 맞게 수를 써요

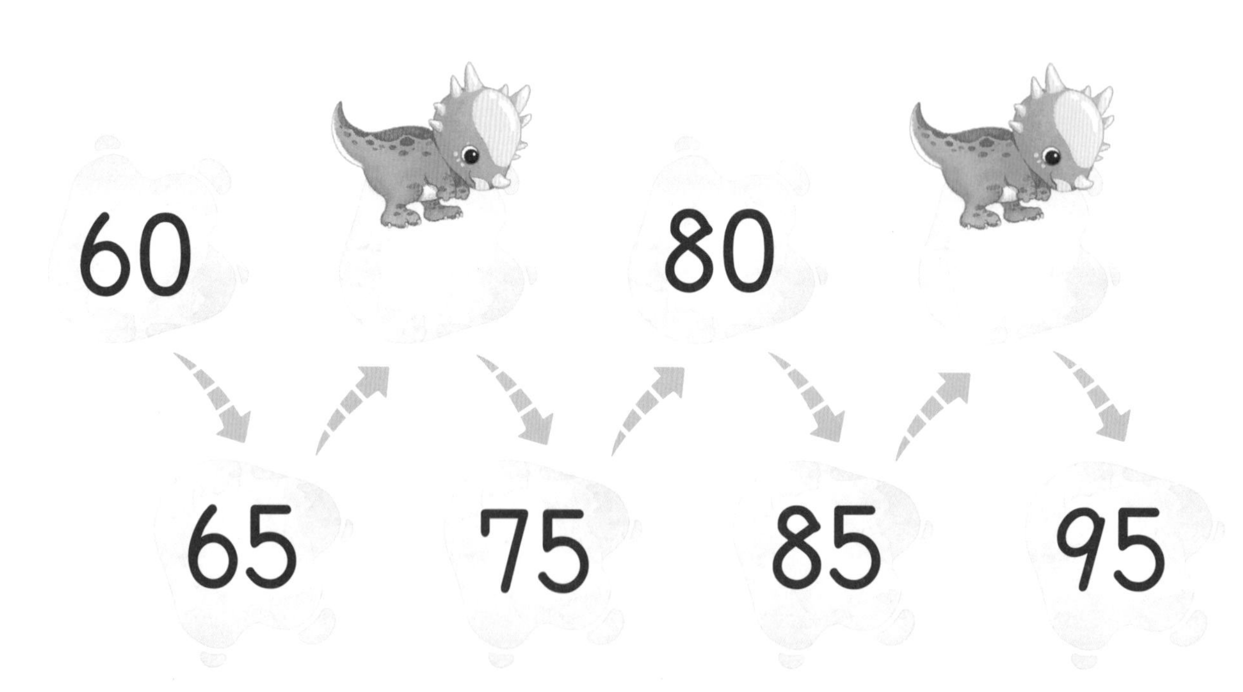

정답 117쪽

1부터 100까지 순서에 맞게 수를 써요

1	2	3	4	5	6	7	8	9	10
11	12	13	14	15	16		18		20
21		23				27	28	29	30
31		33	34	35	36	37	38		40
41		43		45					50
51		53	54		56		58		60
61		63				67		69	
71	72		74	75	76		78		80
81	82	83	84	85		87		89	90
91			94		96	97	98	99	

1~100의 수를 어느 곳에서 시작해도 차례대로 셀 수 있도록 연습해요.

38 큰 수부터 쓰기

10씩 작아지는 순서에 맞게 수를 써요

정답 117쪽

100부터 1까지 순서에 맞게 수를 써요

100	99	98	97	96	95	94		92	91
90	89	88	87		85	84	83		81
	79	78	77	76	75	74	73	72	71
70		68	67	66	65		63	62	61
60	59		57	56	55	54	53	52	51
50	49	48	47	46		44	43		41
40	39	38		36	35	34	33	32	31
30	29		27	26	25	24	23	22	
20	19	18	17		15	14	13	12	11
10		8	7	6		4	3	2	1

Guide 1~100의 수를 뒤에서부터 차례대로 읽어 보면서 앞뒤의 순서를 익혀요.

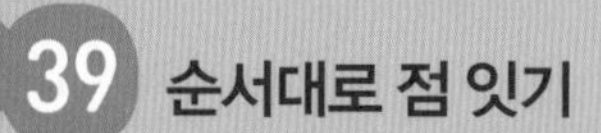

39 순서대로 점 잇기

21부터 50까지의 수로 그림을 그려요

정답 118쪽

61부터 90까지의 수로 그림을 그려요

점 잇기를 통해 수의 순서를 연습해요.

40 1 큰 수, 1 작은 수

바로 앞의 수, 바로 뒤의 수를 써요

바로 앞의 수　　　　바로 뒤의 수

정답 118쪽

사이의 수, 양 끝의 수를 써요

 1 큰 수와 1 작은 수는 수를 순서대로 놓았을 때 바로 뒤의 수와 바로 앞의 수라는 것을 알려주세요.

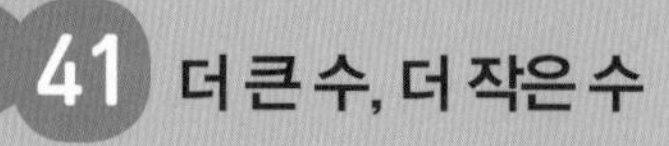
41 더 큰 수, 더 작은 수

더 큰 수를 찾아 깃발을 붙여요

정답 119쪽

더 작은 수를 찾아 깃발을 붙여요

붙임딱지 ⑨

Guide 두 자리 수의 크기를 비교할 때 10개씩 묶음의 수를 먼저 비교하면 쉽게 찾을 수 있어요.

뱀 사다리 놀이를 해요

책 뒤 쪽의 준비물을 이용하여 주사위와 말판을 만들어 사용하세요.

규칙 주사위를 던져 나온 수만큼 이동합니다.
사다리를 만나면 사다리의 끝이 닿은 칸으로 바로 이동!
뱀의 얼굴을 만나면 뱀의 꼬리 칸으로 이동합니다.

49	36	35	22	21	8	7
48	37	34	23	20	9	6
47	38	33	24	19	10	5
46	39	32	25	18	11	4
45	40	31	26	17	12	3
44	41	30	27	16	13	2
43	42	29	28	15	14	1

정답

1 과정 10까지의 수

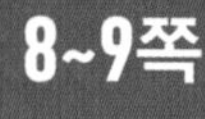

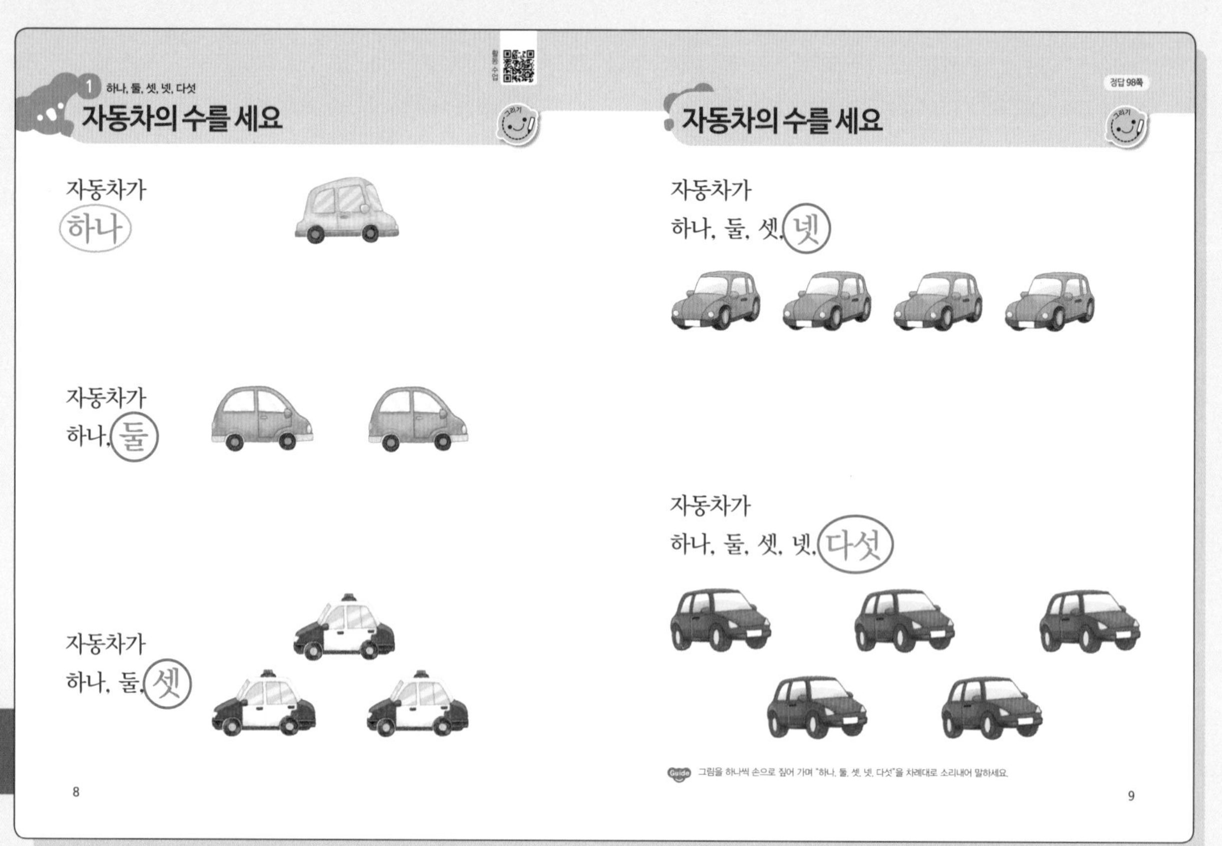

1 하나, 둘, 셋, 넷, 다섯

자동차의 수를 세요

자동차가
(하나)

자동차가
하나, (둘)

자동차가
하나, 둘, (셋)

8

정답 98쪽

자동차의 수를 세요

자동차가
하나, 둘, 셋, (넷)

자동차가
하나, 둘, 셋, 넷, (다섯)

Guide 그림을 하나씩 손으로 짚어 가며 "하나, 둘, 셋, 넷, 다섯"을 차례대로 소리내어 말하세요.

9

10~11쪽

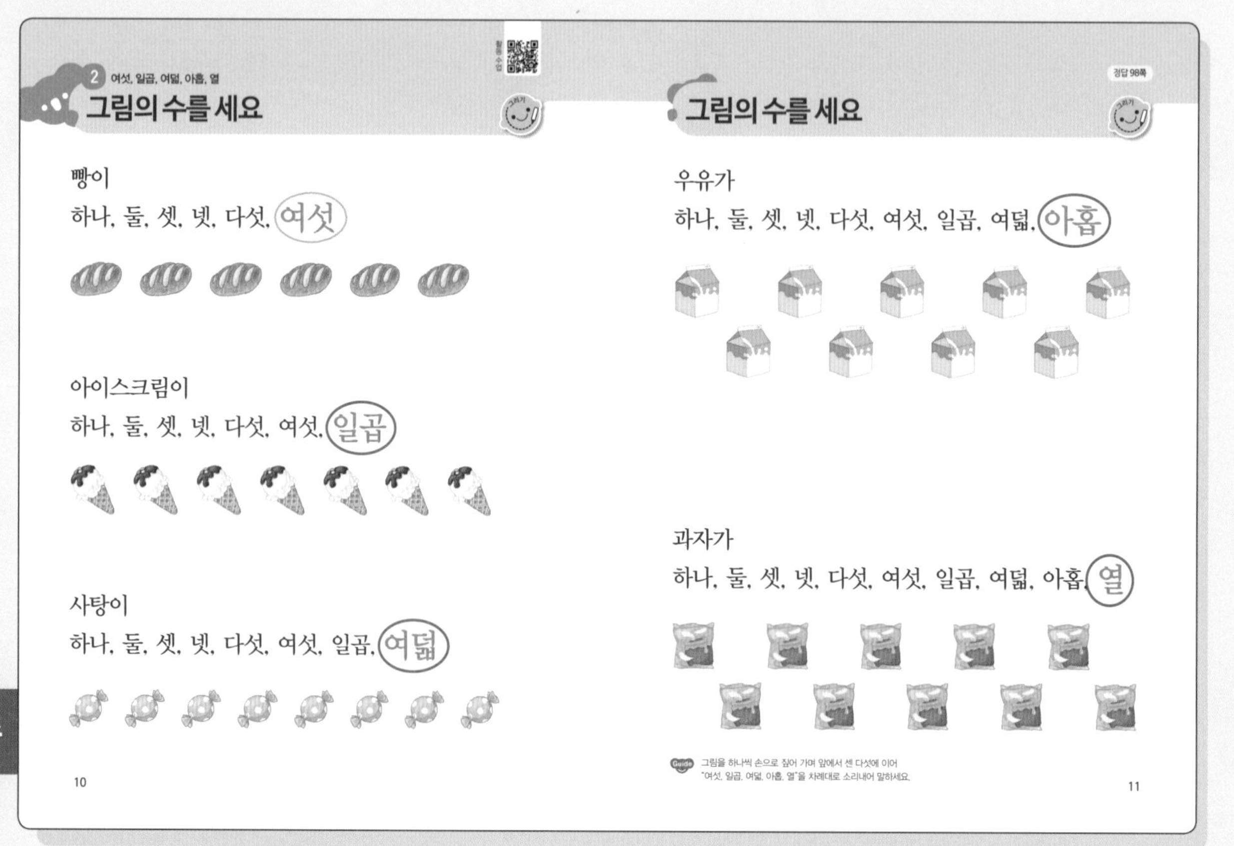

2 여섯, 일곱, 여덟, 아홉, 열

그림의 수를 세요

빵이
하나, 둘, 셋, 넷, 다섯, (여섯)

아이스크림이
하나, 둘, 셋, 넷, 다섯, 여섯, (일곱)

사탕이
하나, 둘, 셋, 넷, 다섯, 여섯, 일곱, (여덟)

10

정답 98쪽

그림의 수를 세요

우유가
하나, 둘, 셋, 넷, 다섯, 여섯, 일곱, 여덟, (아홉)

과자가
하나, 둘, 셋, 넷, 다섯, 여섯, 일곱, 여덟, 아홉, (열)

Guide 그림을 하나씩 손으로 짚어 가며 앞에서 센 다섯에 이어
"여섯, 일곱, 여덟, 아홉, 열"을 차례대로 소리내어 말하세요.

11

3 1, 2, 3, 4, 5 쓰기
몇인지 세어 보고 수를 따라 써요
고양이가 1마리 있어요.
하나, 일
무당벌레가 2마리 있어요.
둘, 이
인형이 3개 있어요.
셋, 삼
몇인지 세어 보고 수를 따라 써요
꽃이 4송이 있어요.
넷, 사
벌이 5마리 있어요.
다섯, 오

12~13쪽

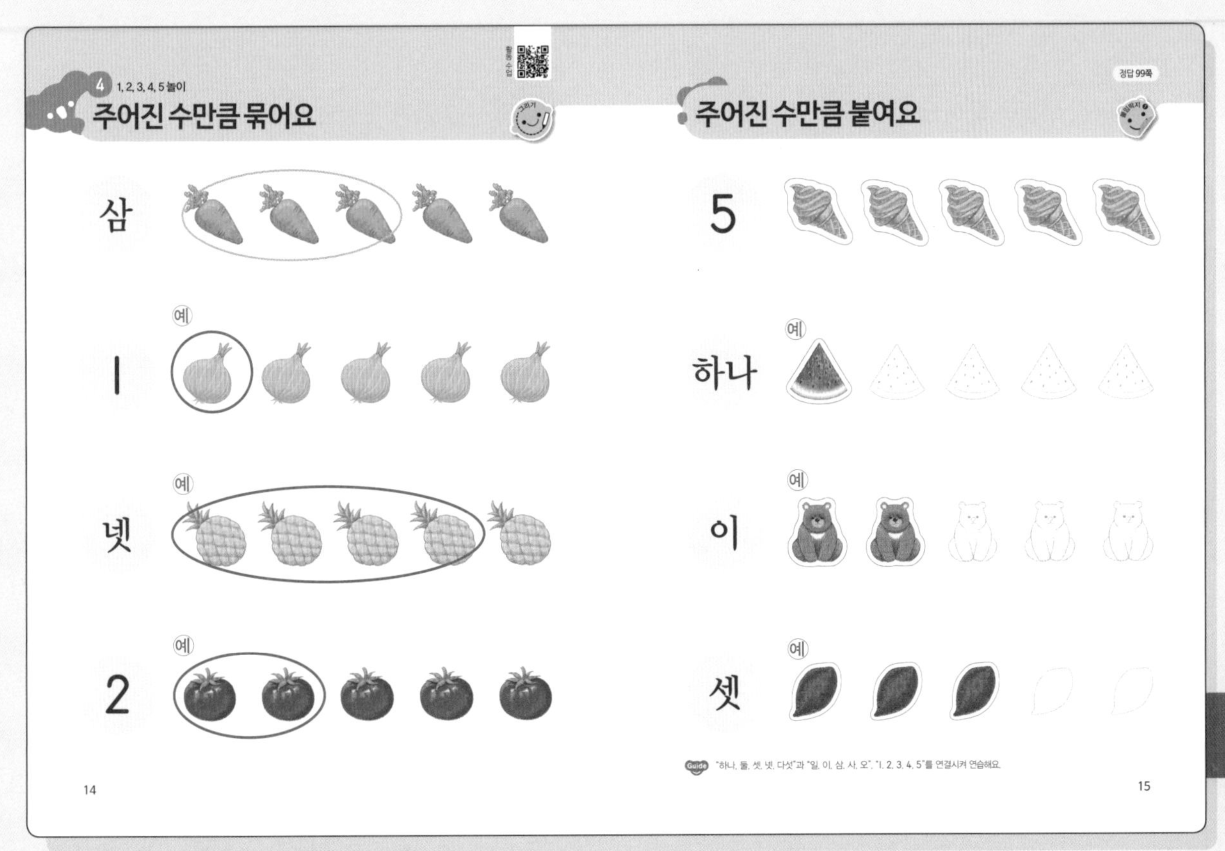
4 1, 2, 3, 4, 5 놀이
주어진 수만큼 묶어요
삼
1
넷
2
주어진 수만큼 붙여요
5
하나
이
셋

14~15쪽

1 과정 10까지의 수

16~17쪽

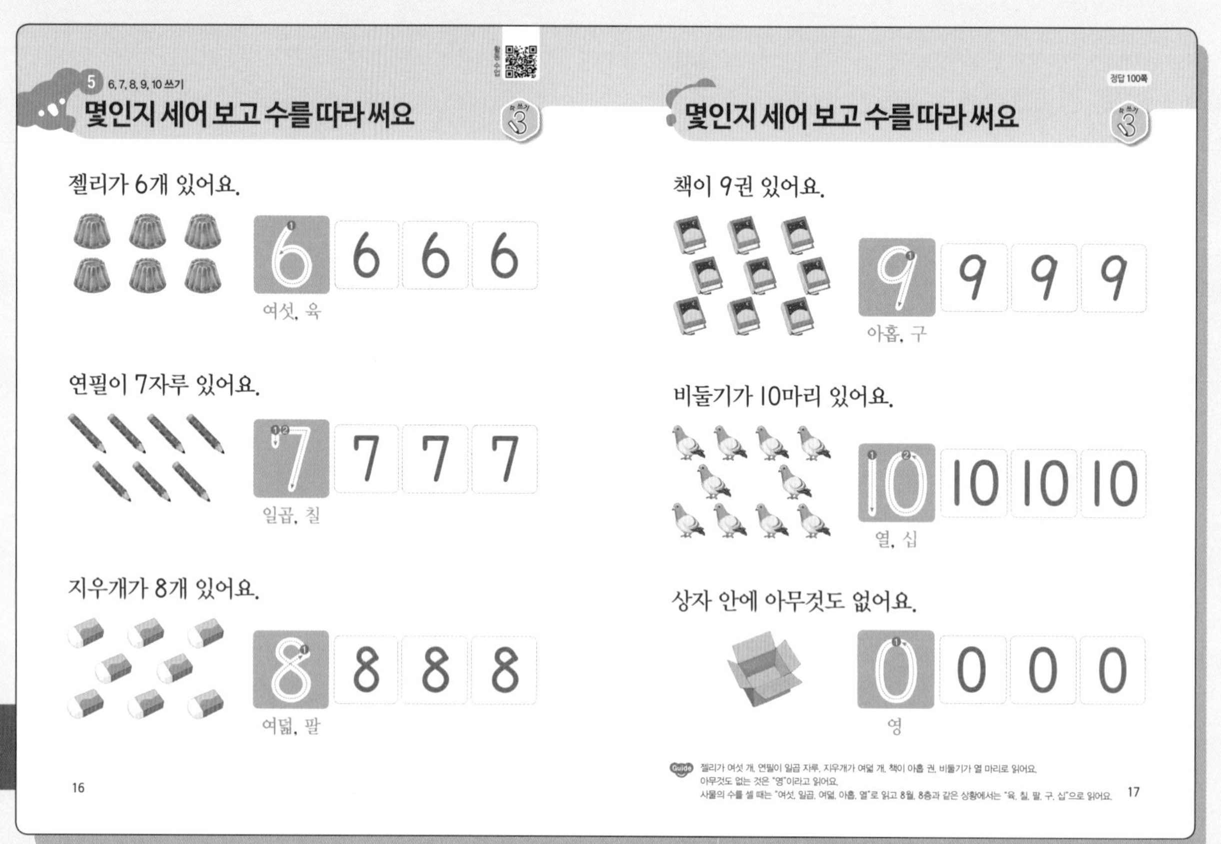

5 6, 7, 8, 9, 10 쓰기
몇인지 세어 보고 수를 따라 써요
젤리가 6개 있어요.
6 6 6 6
여섯, 육
연필이 7자루 있어요.
7 7 7 7
일곱, 칠
지우개가 8개 있어요.
8 8 8 8
여덟, 팔
몇인지 세어 보고 수를 따라 써요
책이 9권 있어요.
9 9 9 9
아홉, 구
비둘기가 10마리 있어요.
10 10 10 10
열, 십
상자 안에 아무것도 없어요.
0 0 0 0
영
16
17

18~19쪽

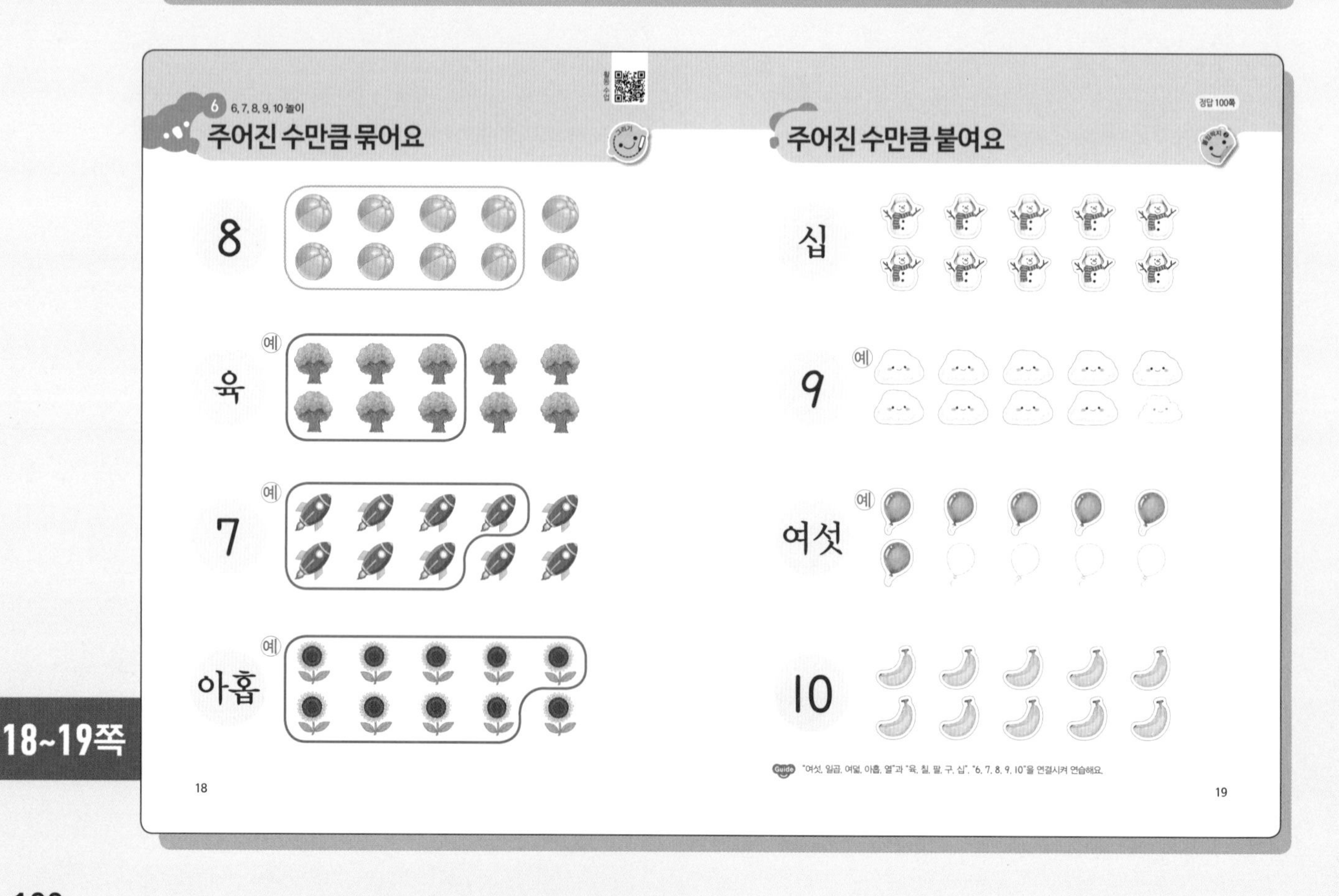

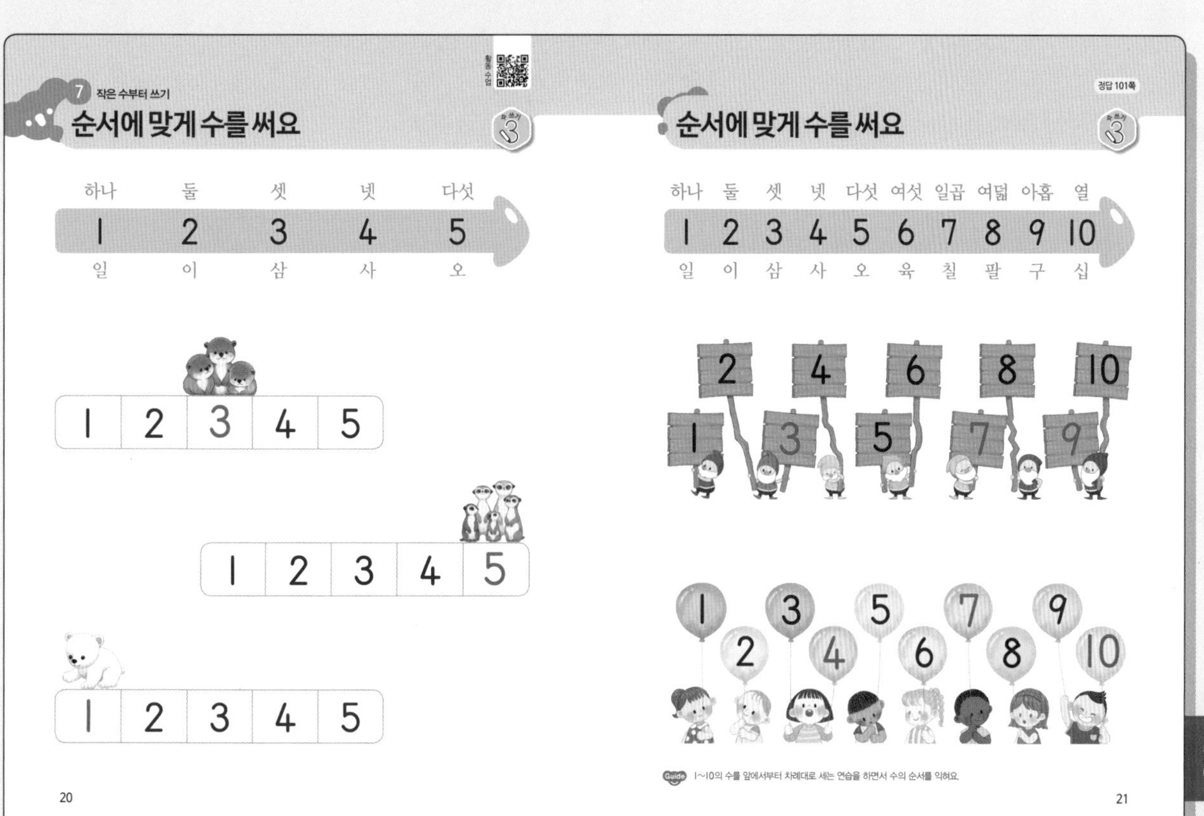
7 작은 수부터 쓰기

순서에 맞게 수를 써요

하나 둘 셋 넷 다섯
1 2 3 4 5
일 이 삼 사 오

1	2	3	4	5

1	2	3	4	5

1	2	3	4	5

20

정답 101쪽

순서에 맞게 수를 써요

하나 둘 셋 넷 다섯 여섯 일곱 여덟 아홉 열
1 2 3 4 5 6 7 8 9 10
일 이 삼 사 오 육 칠 팔 구 십

2 4 6 8 10
1 3 5 7 9

1 3 5 7 9
2 4 6 8 10

Guide 1~10의 수를 앞에서부터 차례대로 세는 연습을 하면서 수의 순서를 익혀요.

21

20~21쪽

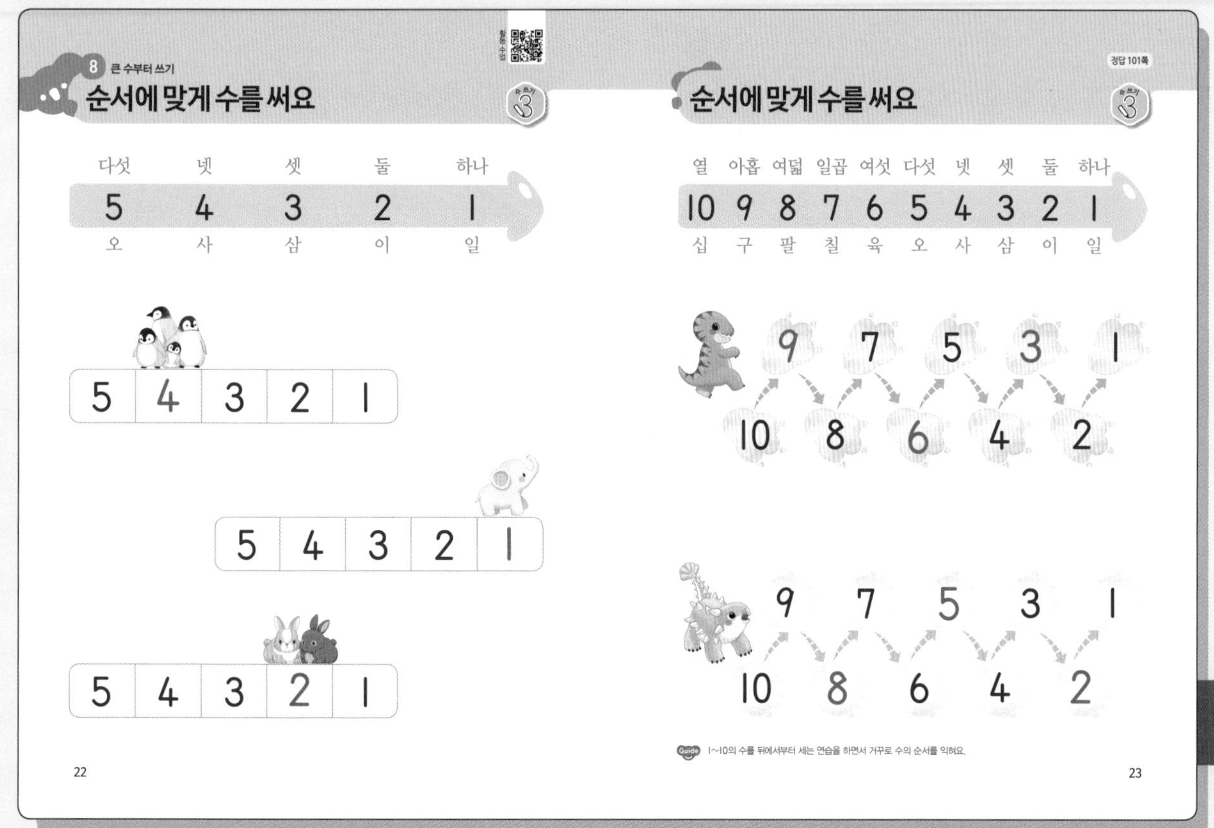
8 큰 수부터 쓰기

순서에 맞게 수를 써요

다섯 넷 셋 둘 하나
5 4 3 2 1
오 사 삼 이 일

5	4	3	2	1

5	4	3	2	1

5	4	3	2	1

22

정답 101쪽

순서에 맞게 수를 써요

열 아홉 여덟 일곱 여섯 다섯 넷 셋 둘 하나
10 9 8 7 6 5 4 3 2 1
십 구 팔 칠 육 오 사 삼 이 일

9 7 5 3 1
10 8 6 4 2

9 7 5 3 1
10 8 6 4 2

Guide 1~10의 수를 뒤에서부터 세는 연습을 하면서 거꾸로 수의 순서를 익혀요.

23

22~23쪽

1 과정 10까지의 수

24~25쪽

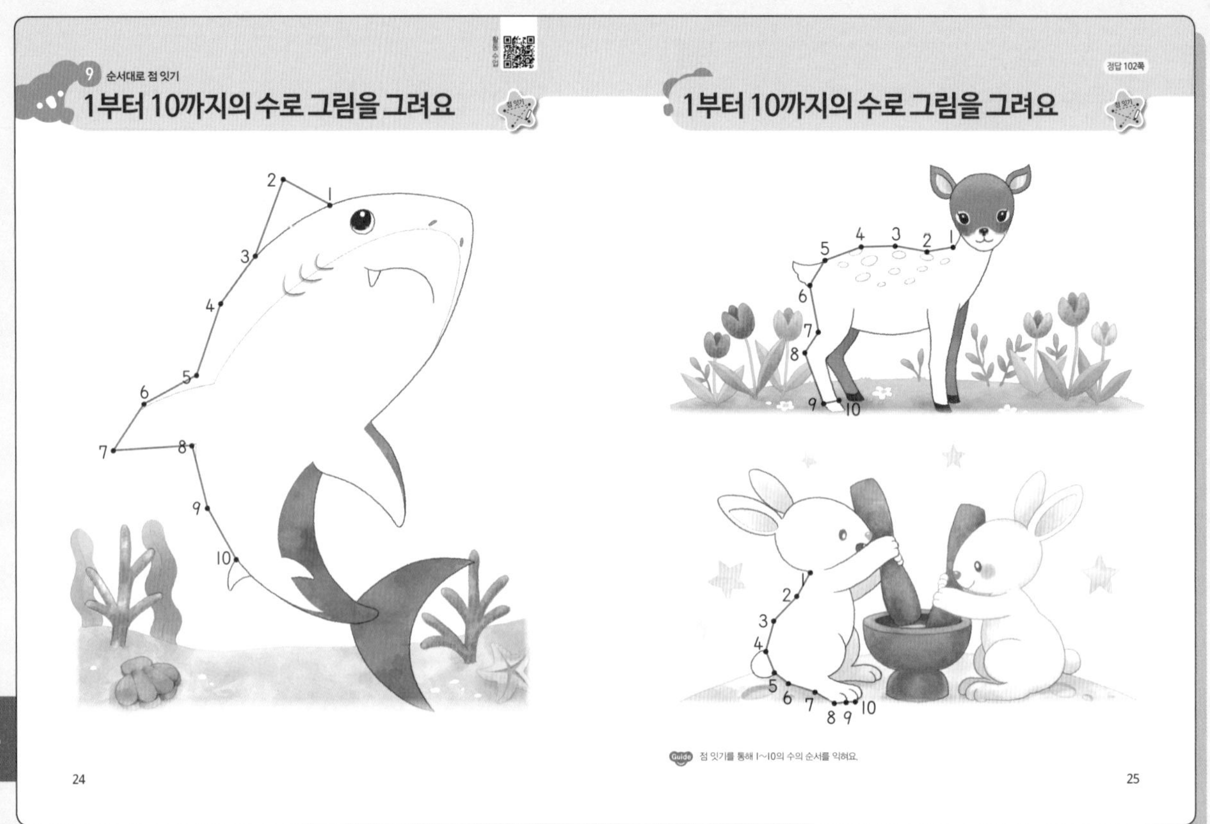

9 순서대로 점 잇기
1부터 10까지의 수로 그림을 그려요
정답 102쪽
1부터 10까지의 수로 그림을 그려요
Guide 점 잇기를 통해 1~10의 수의 순서를 익혀요.
24
25

26~27쪽

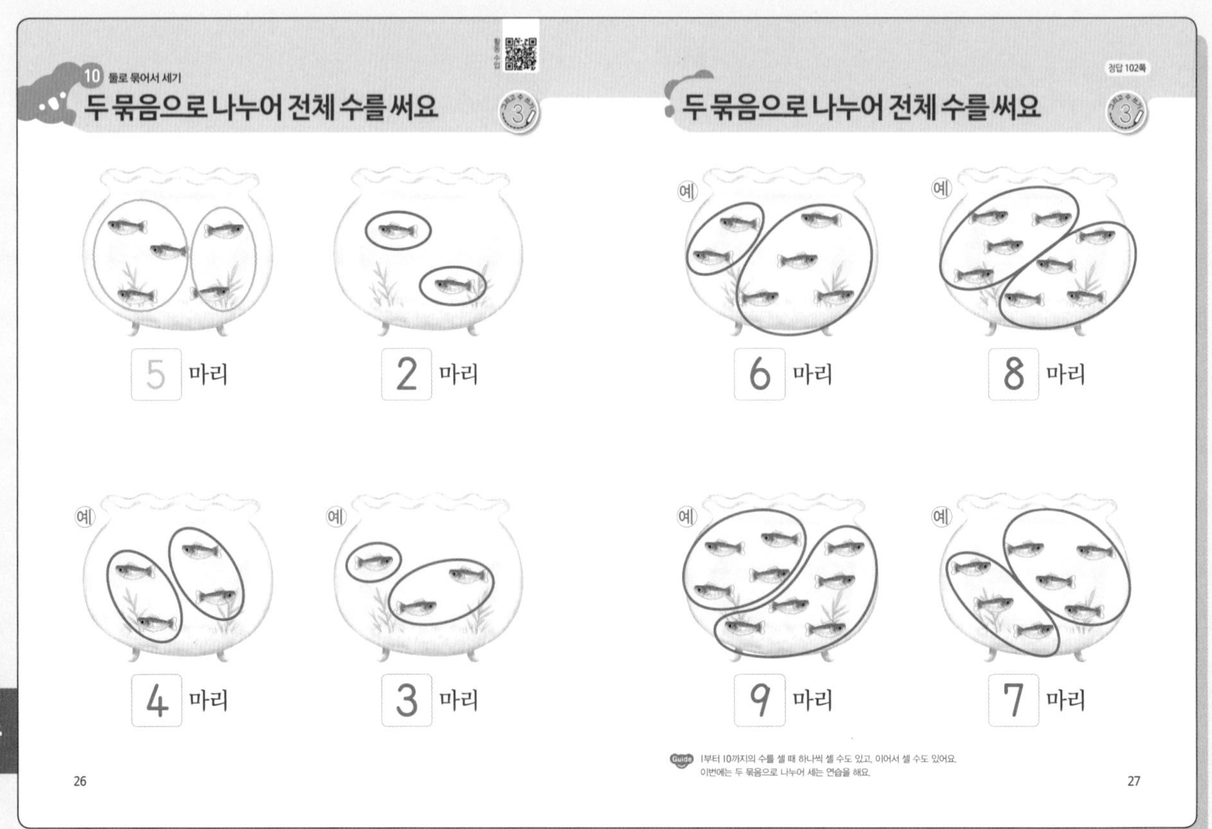

10 둘로 묶어서 세기
두 묶음으로 나누어 전체 수를 써요
정답 102쪽
두 묶음으로 나누어 전체 수를 써요
5 마리
2 마리
6 마리
8 마리
4 마리
3 마리
9 마리
7 마리
Guide 1부터 10까지의 수를 셀 때 하나씩 셀 수도 있고, 이어서 셀 수도 있어요.
이번에는 두 묶음으로 나누어 세는 연습을 해요.
26
27

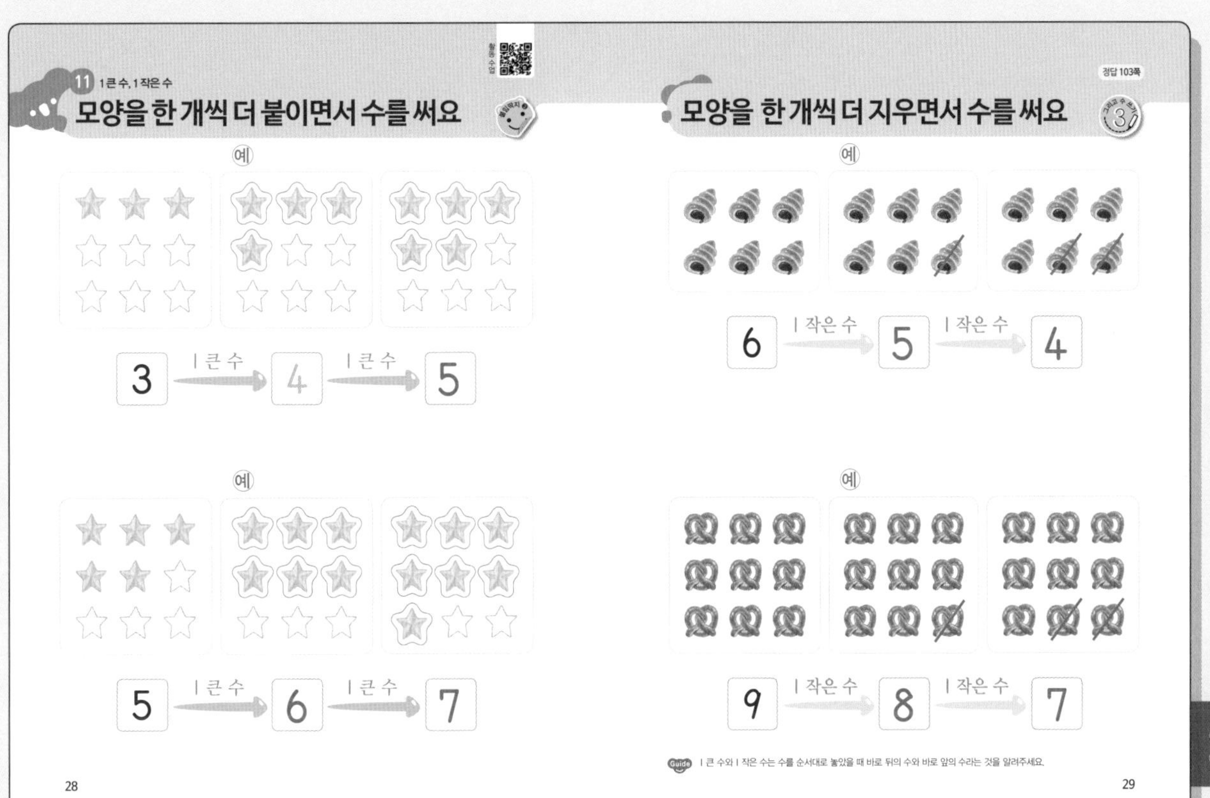
11 1 큰 수, 1 작은 수
모양을 한 개씩 더 붙이면서 수를 써요
예
3
1 큰 수
4
1 큰 수
5
예
5
1 큰 수
6
1 큰 수
7
정답 103쪽
모양을 한 개씩 더 지우면서 수를 써요
예
6
1 작은 수
5
1 작은 수
4
예
9
1 작은 수
8
1 작은 수
7
28
29

28~29쪽

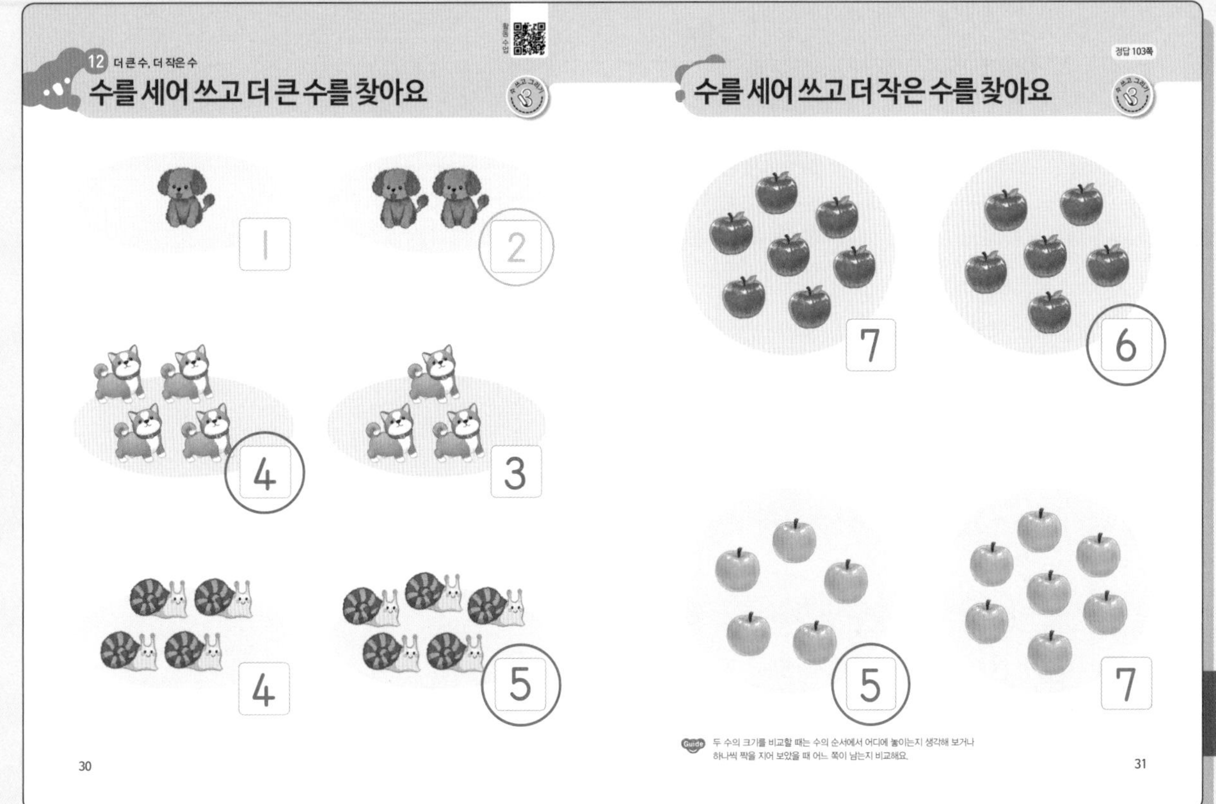
12 더 큰 수, 더 작은 수
수를 세어 쓰고 더 큰 수를 찾아요
1
2
4
3
4
5
정답 103쪽
수를 세어 쓰고 더 작은 수를 찾아요
7
6
5
7
30
31

30~31쪽

2 과정 20까지의 수

34~35쪽

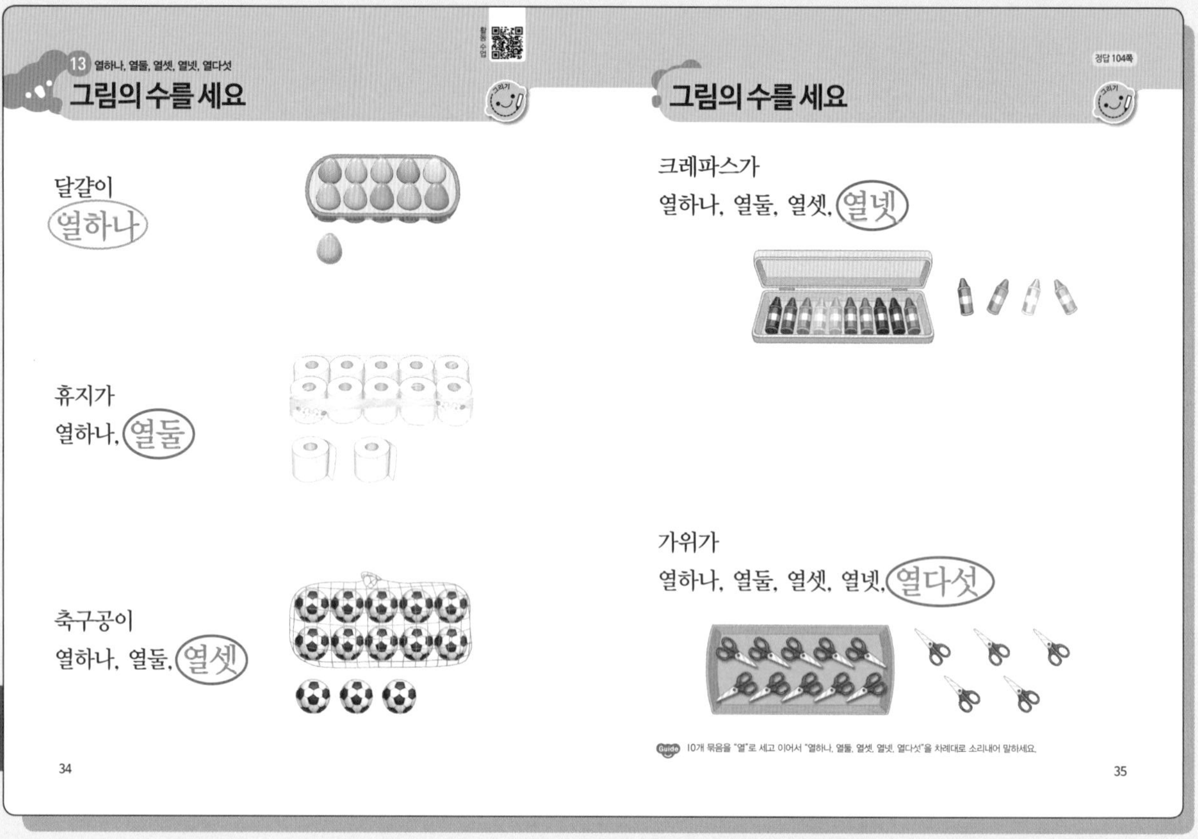

13 열하나, 열둘, 열셋, 열넷, 열다섯

활동 수업

그림의 수를 세요

달걀이
(열하나)

휴지가
열하나, (열둘)

축구공이
열하나, 열둘, (열셋)

34

정답 104쪽

그림의 수를 세요

크레파스가
열하나, 열둘, 열셋, (열넷)

가위가
열하나, 열둘, 열셋, 열넷, (열다섯)

Guide 10개 묶음을 "열"로 세고 이어서 "열하나, 열둘, 열셋, 열넷, 열다섯"을 차례대로 소리내어 말하세요.

35

36~37쪽

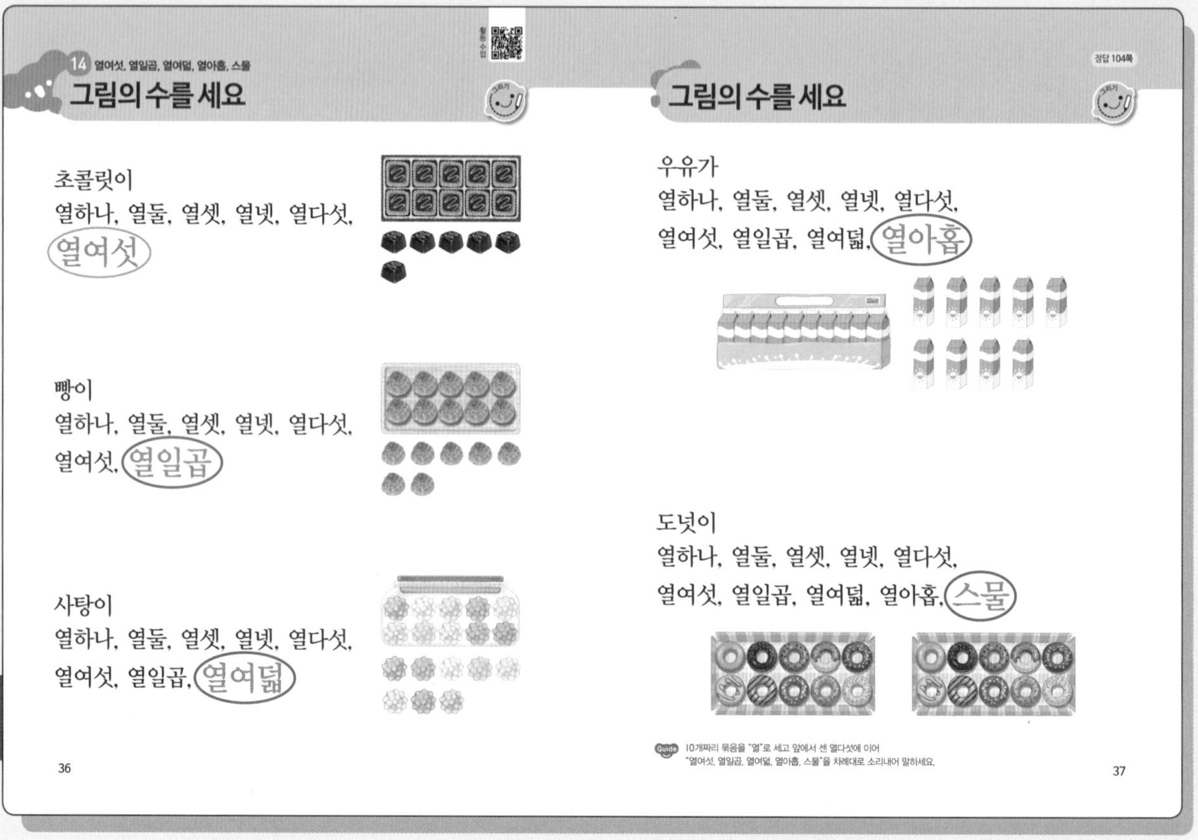

14 열여섯, 열일곱, 열여덟, 열아홉, 스물

활동 수업

그림의 수를 세요

초콜릿이
열하나, 열둘, 열셋, 열넷, 열다섯,
(열여섯)

빵이
열하나, 열둘, 열셋, 열넷, 열다섯,
열여섯, (열일곱)

사탕이
열하나, 열둘, 열셋, 열넷, 열다섯,
열여섯, 열일곱, (열여덟)

36

정답 104쪽

그림의 수를 세요

우유가
열하나, 열둘, 열셋, 열넷, 열다섯,
열여섯, 열일곱, 열여덟, (열아홉)

도넛이
열하나, 열둘, 열셋, 열넷, 열다섯,
열여섯, 열일곱, 열여덟, 열아홉, (스물)

Guide 10개짜리 묶음을 "열"로 세고 앞에서 센 열다섯에 이어
"열여섯, 열일곱, 열여덟, 열아홉, 스물"을 차례대로 소리내어 말하세요.

37

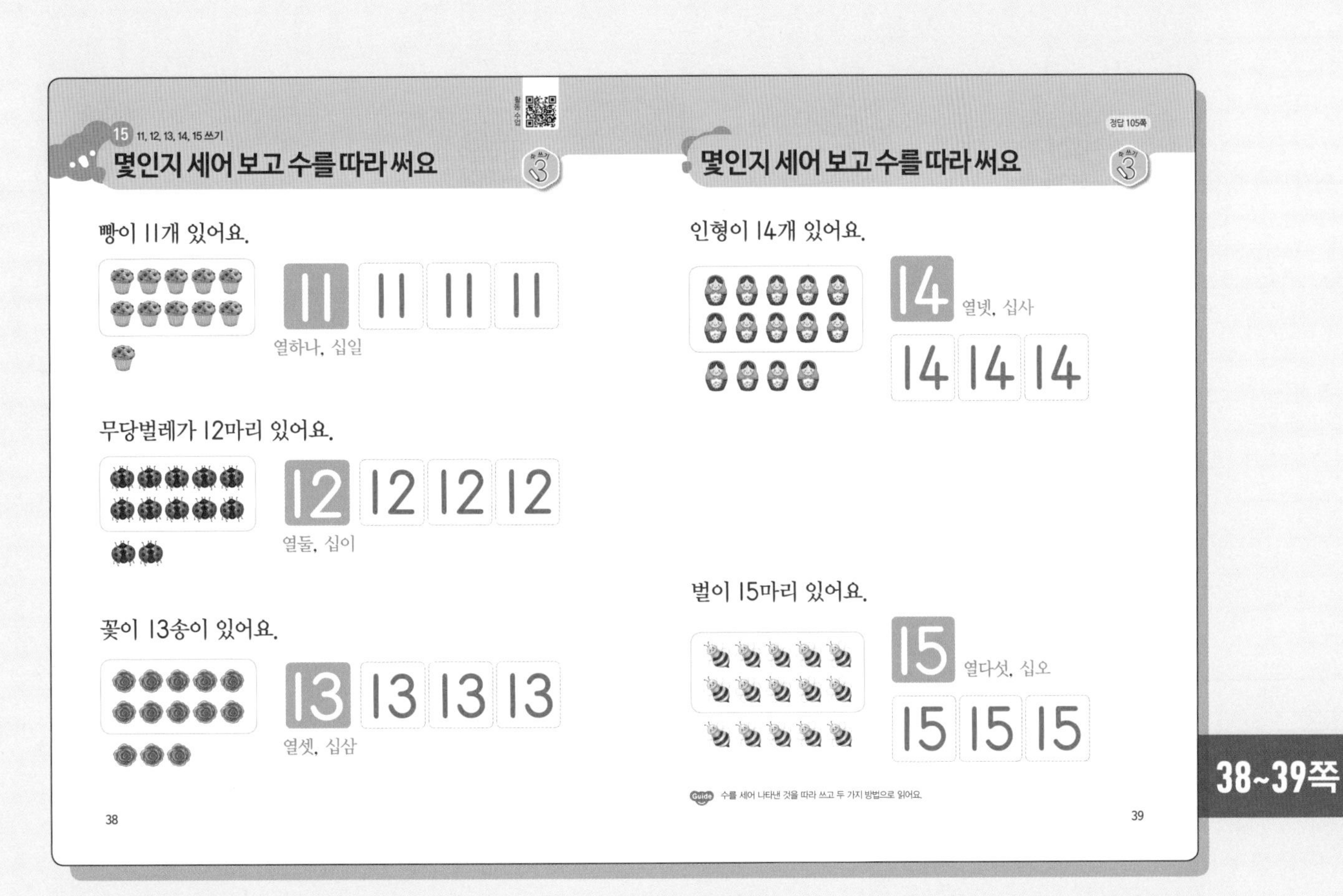

15 11, 12, 13, 14, 15 쓰기

몇인지 세어 보고 수를 따라 써요

빵이 11개 있어요.

11 11 11 11

열하나, 십일

무당벌레가 12마리 있어요.

12 12 12 12

열둘, 십이

꽃이 13송이 있어요.

13 13 13 13

열셋, 십삼

38

정답 105쪽

몇인지 세어 보고 수를 따라 써요

인형이 14개 있어요.

14 열넷, 십사

14 14 14

벌이 15마리 있어요.

15 열다섯, 십오

15 15 15

Guide 수를 세어 나타낸 것을 따라 쓰고 두 가지 방법으로 읽어요.

39

38~39쪽

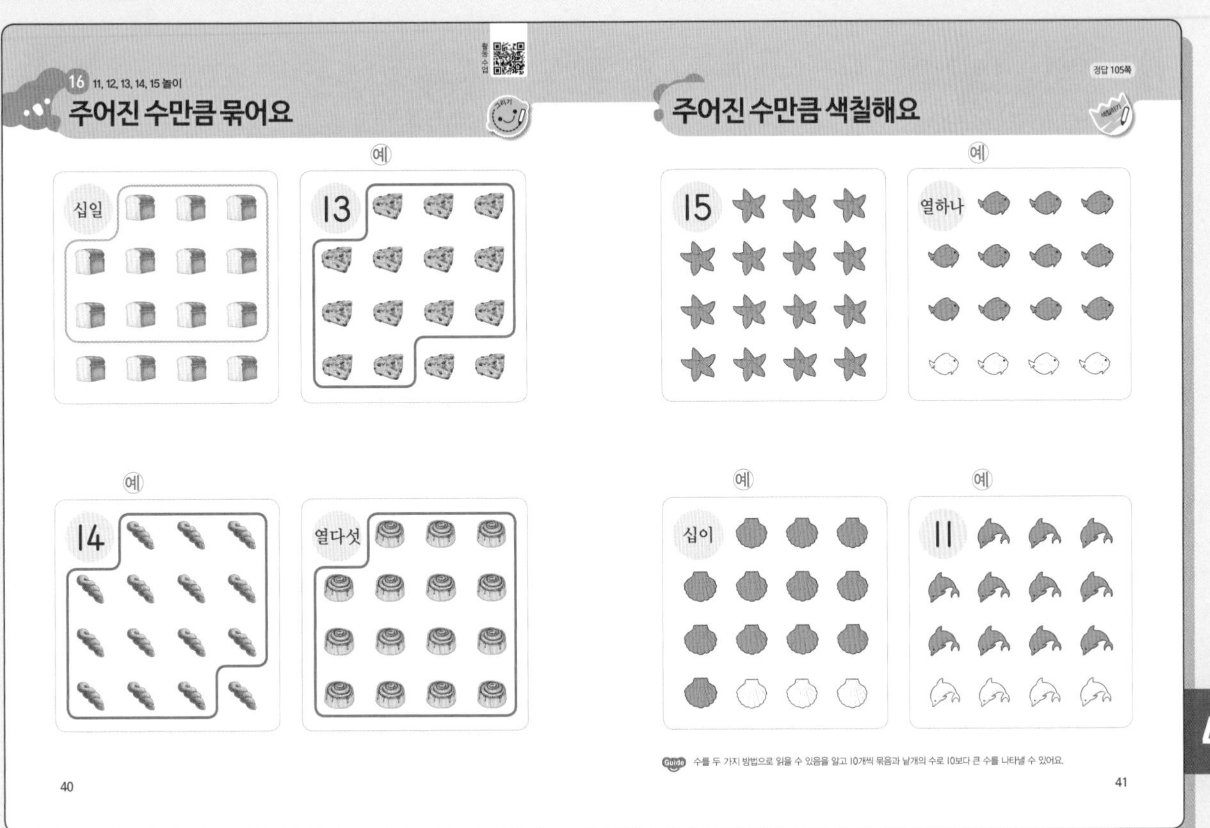

16 11, 12, 13, 14, 15 놀이

주어진 수만큼 묶어요

예

십일

13

예

14

열다섯

40

정답 105쪽

주어진 수만큼 색칠해요

예

15

열하나

예

십이

예

11

Guide 수를 두 가지 방법으로 읽을 수 있음을 알고 10개씩 묶음과 낱개의 수로 10보다 큰 수를 나타낼 수 있어요.

41

40~41쪽

42~43쪽

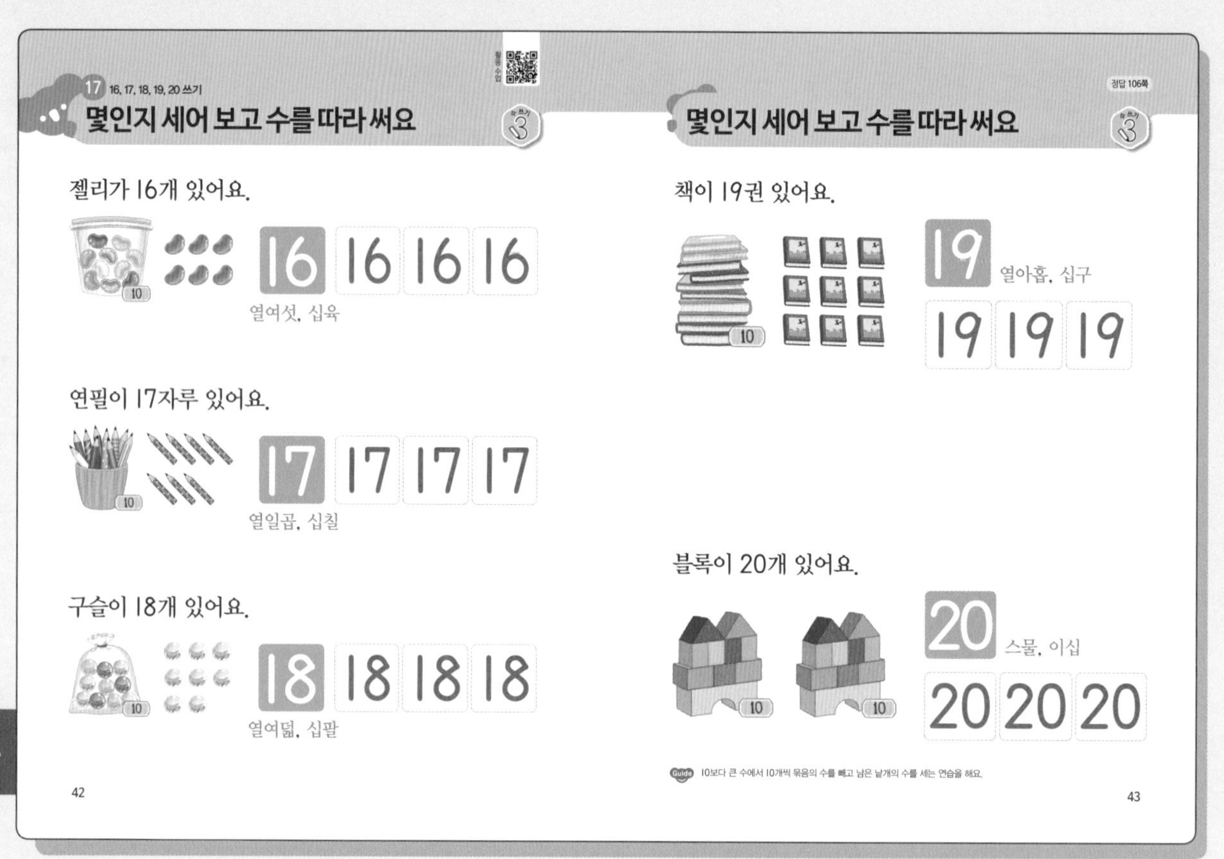
17 16, 17, 18, 19, 20 쓰기

몇인지 세어 보고 수를 따라 써요

젤리가 16개 있어요.

16 16 16 16

열여섯, 십육

연필이 17자루 있어요.

17 17 17 17

열일곱, 십칠

구슬이 18개 있어요.

18 18 18 18

열여덟, 십팔

42

정답 106쪽

몇인지 세어 보고 수를 따라 써요

책이 19권 있어요.

19 열아홉, 십구

19 19 19

블록이 20개 있어요.

20 스물, 이십

20 20 20

Guide 10보다 큰 수에서 10개씩 묶음의 수를 빼고 남은 낱개의 수를 세는 연습을 해요.

43

44~45쪽

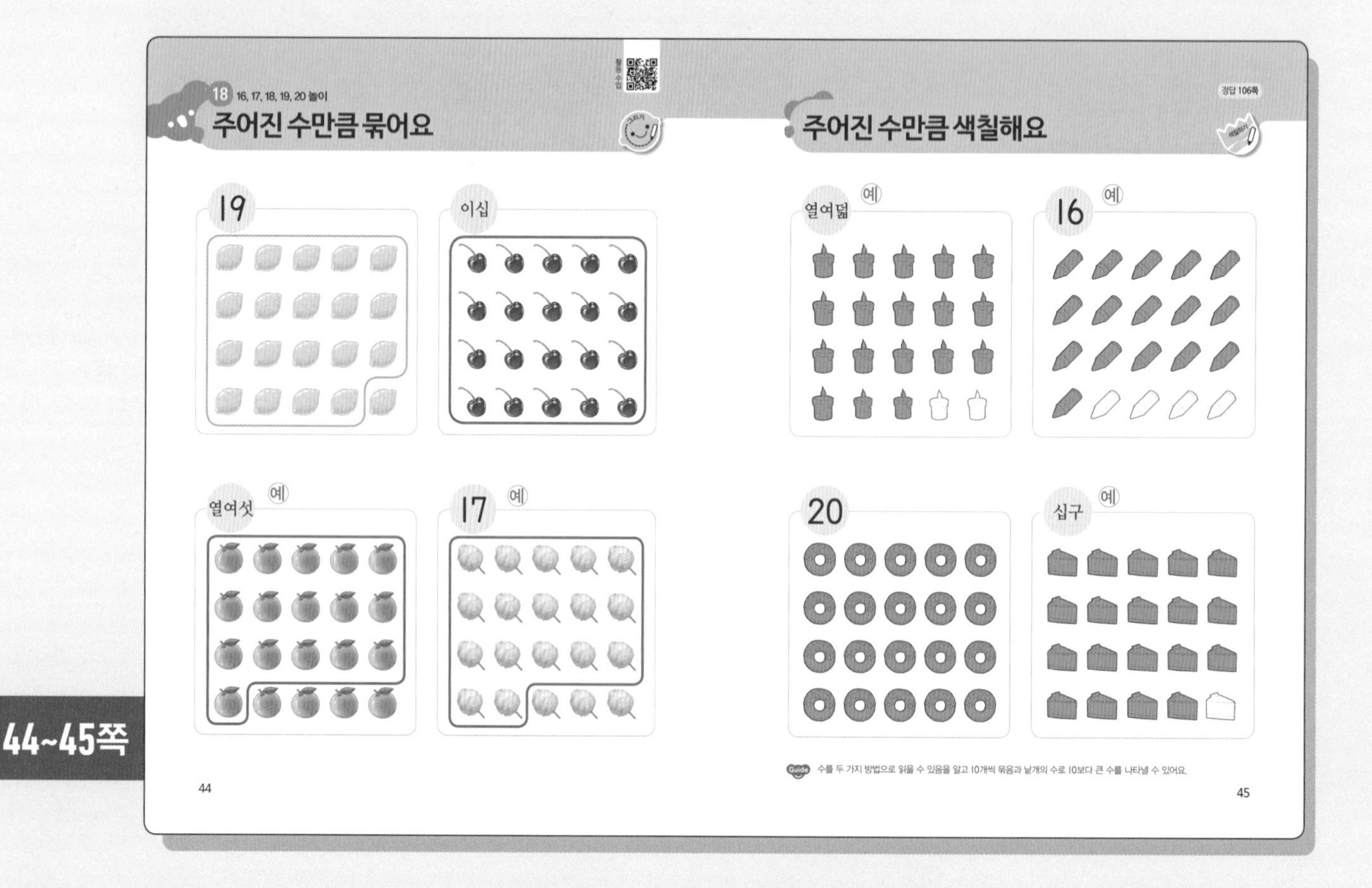
18 16, 17, 18, 19, 20 놀이

주어진 수만큼 묶어요

19

이십

열여섯 예

17 예

44

정답 106쪽

주어진 수만큼 색칠해요

열여덟 예

16 예

20

십구 예

Guide 수를 두 가지 방법으로 읽을 수 있음을 알고 10개씩 묶음과 낱개의 수로 10보다 큰 수를 나타낼 수 있어요.

45

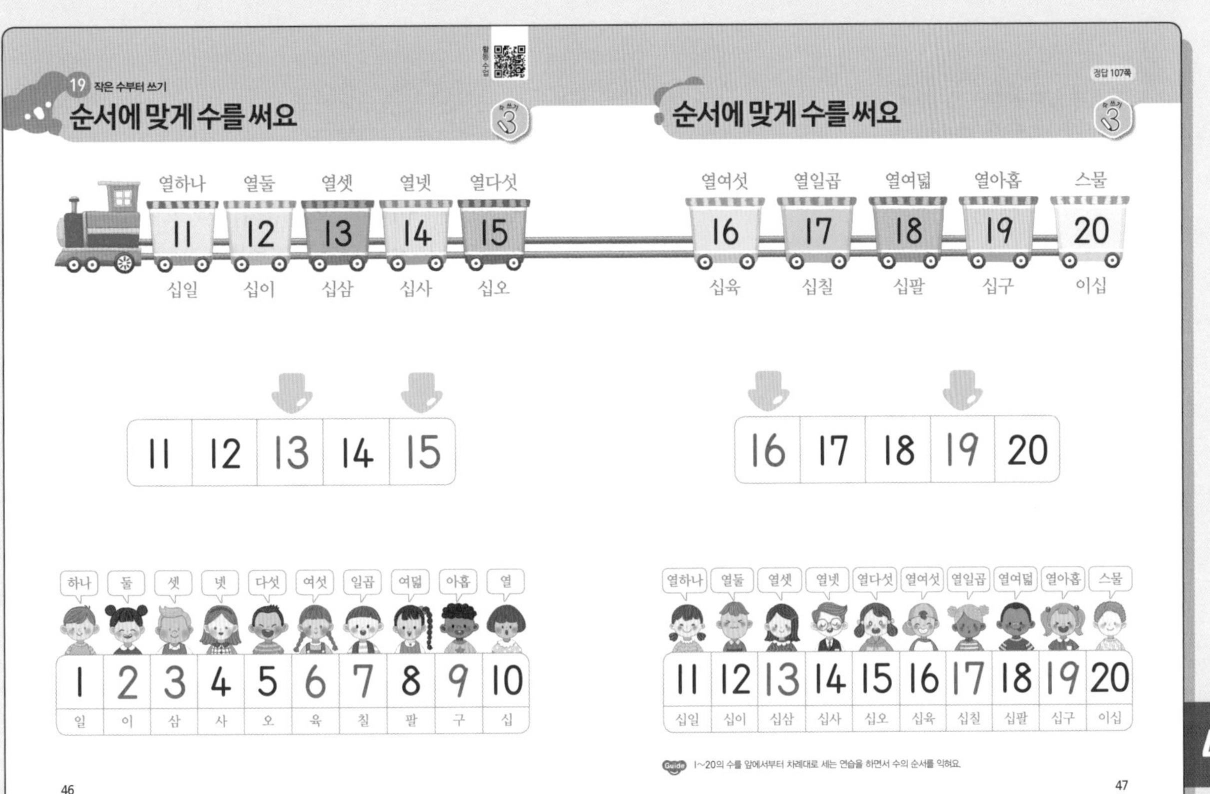

19 작은 수부터 쓰기
순서에 맞게 수를 써요
정답 107쪽
순서에 맞게 수를 써요
열하나 열둘 열셋 열넷 열다섯
11 12 13 14 15
십일 십이 십삼 십사 십오
열여섯 열일곱 열여덟 열아홉 스물
16 17 18 19 20
십육 십칠 십팔 십구 이십
11 12 13 14 15
16 17 18 19 20
하나 둘 셋 넷 다섯 여섯 일곱 여덟 아홉 열
1 2 3 4 5 6 7 8 9 10
일 이 삼 사 오 육 칠 팔 구 십
열하나 열둘 열셋 열넷 열다섯 열여섯 열일곱 열여덟 열아홉 스물
11 12 13 14 15 16 17 18 19 20
십일 십이 십삼 십사 십오 십육 십칠 십팔 십구 이십
46
47

46~47쪽

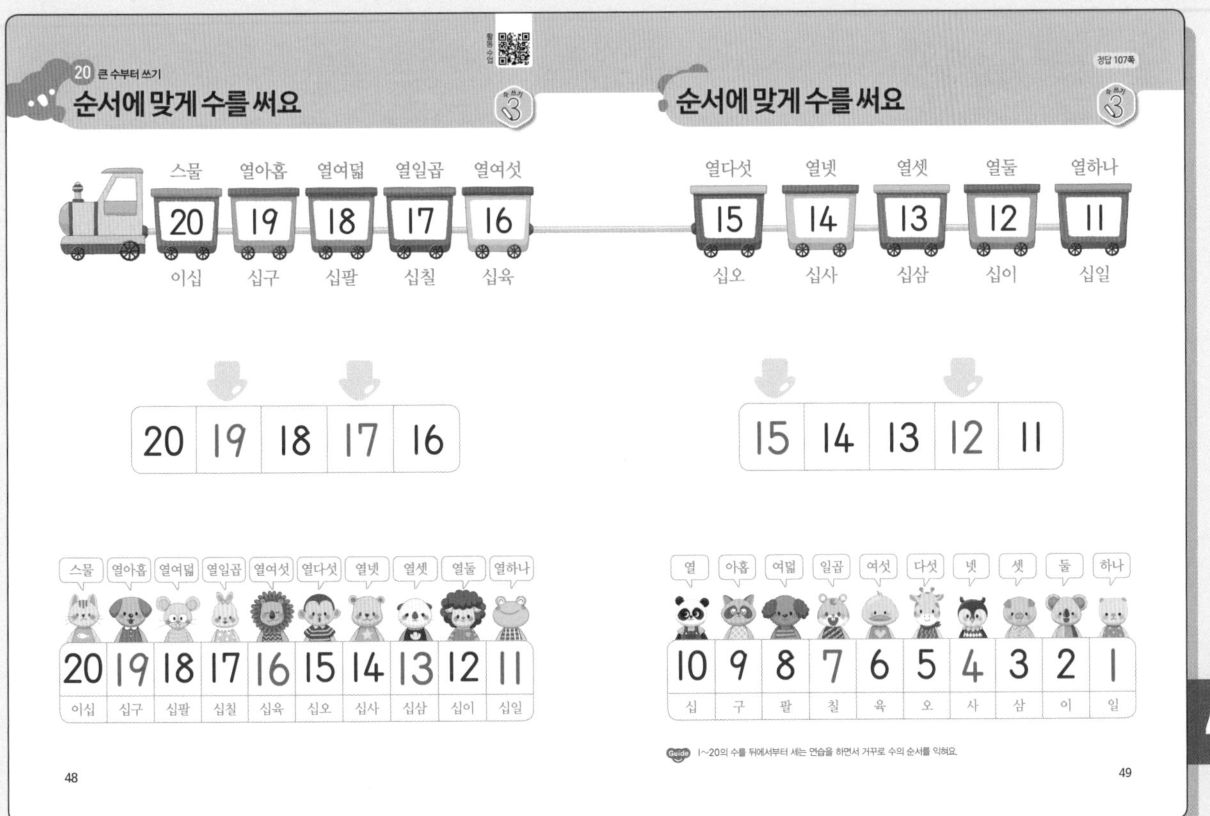

20 큰 수부터 쓰기
순서에 맞게 수를 써요
정답 107쪽
순서에 맞게 수를 써요
스물 열아홉 열여덟 열일곱 열여섯
20 19 18 17 16
이십 십구 십팔 십칠 십육
열다섯 열넷 열셋 열둘 열하나
15 14 13 12 11
십오 십사 십삼 십이 십일
20 19 18 17 16
15 14 13 12 11
스물 열아홉 열여덟 열일곱 열여섯 열다섯 열넷 열셋 열둘 열하나
20 19 18 17 16 15 14 13 12 11
이십 십구 십팔 십칠 십육 십오 십사 십삼 십이 십일
열 아홉 여덟 일곱 여섯 다섯 넷 셋 둘 하나
10 9 8 7 6 5 4 3 2 1
십 구 팔 칠 육 오 사 삼 이 일
48
49

48~49쪽

2 과정 20까지의 수

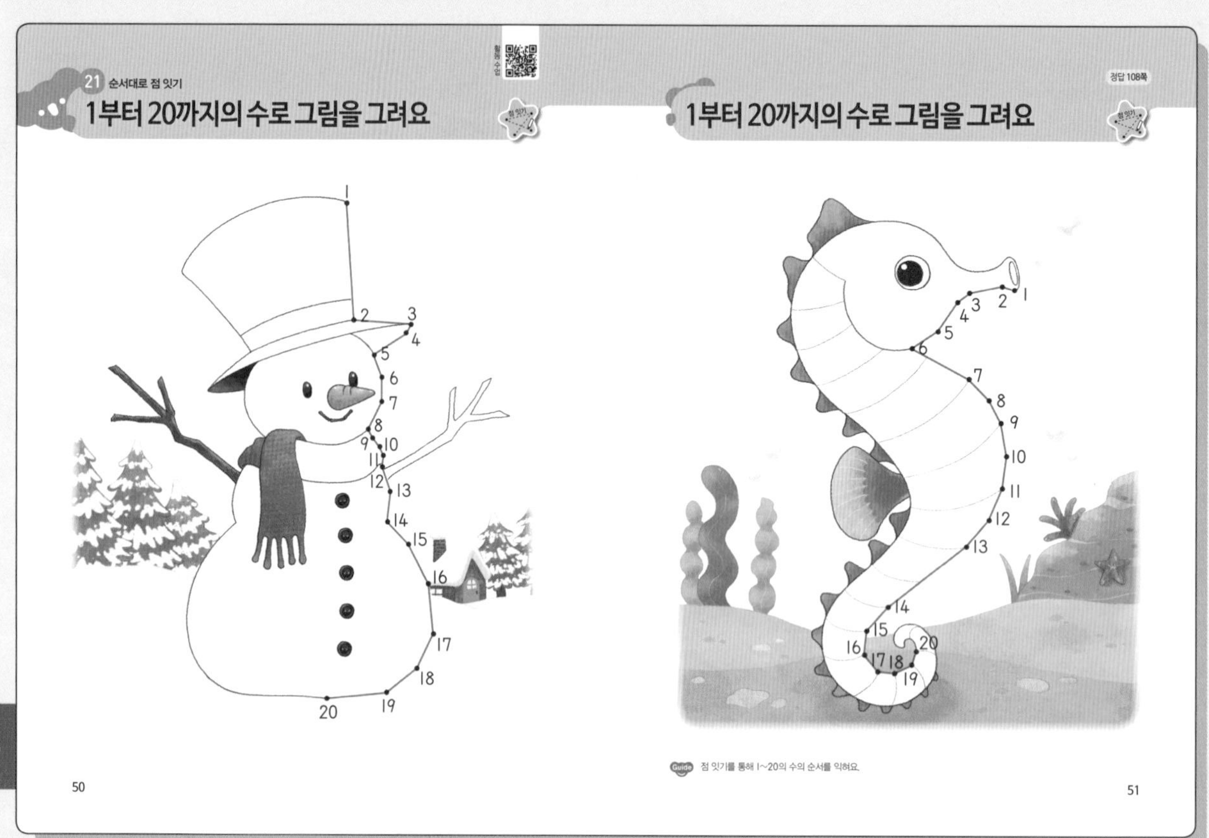

21 순서대로 점 잇기
1부터 20까지의 수로 그림을 그려요
1부터 20까지의 수로 그림을 그려요
정답 108쪽
점 잇기를 통해 1~20의 수의 순서를 익혀요.
50
51

50~51쪽

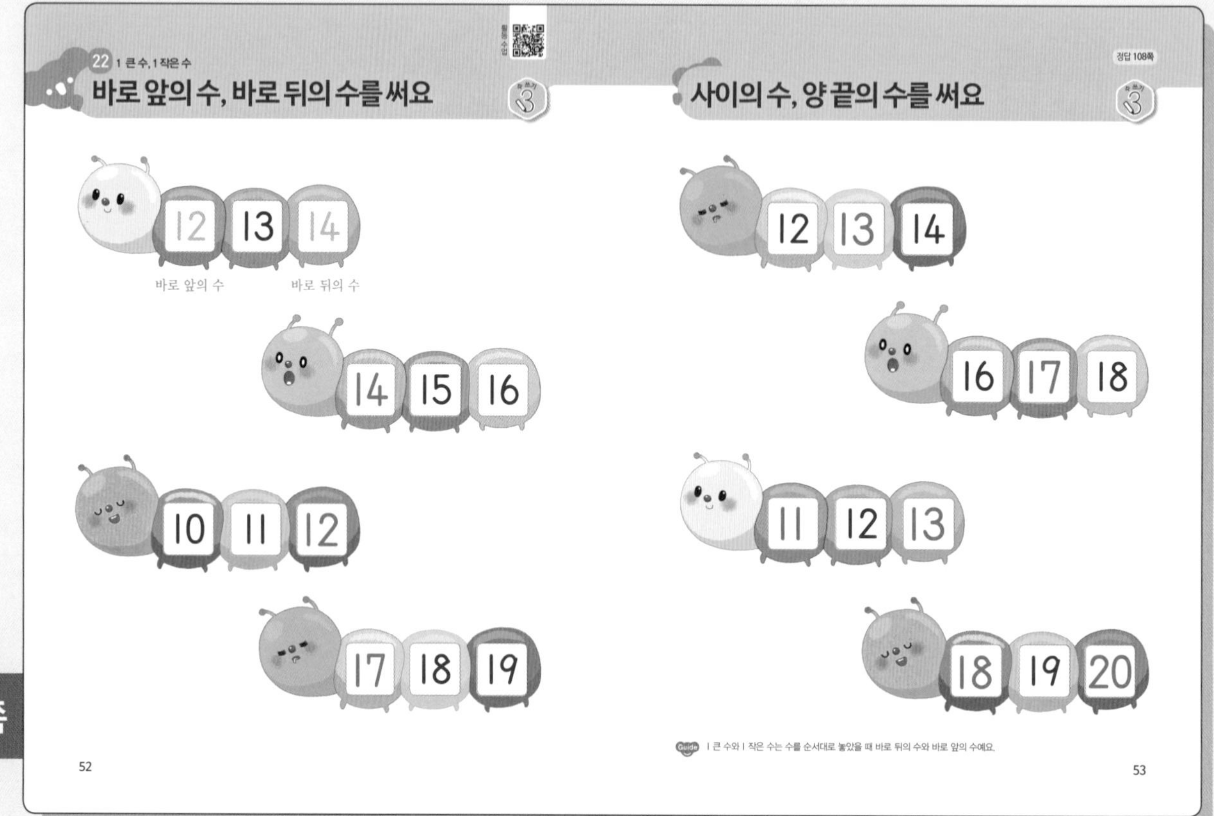

22 1 큰 수, 1 작은 수
바로 앞의 수, 바로 뒤의 수를 써요
사이의 수, 양 끝의 수를 써요
정답 108쪽
12 13 14
바로 앞의 수
바로 뒤의 수
14 15 16
10 11 12
17 18 19
12 13 14
16 17 18
11 12 13
18 19 20
1 큰 수와 1 작은 수는 수를 순서대로 놓았을 때 바로 뒤의 수와 바로 앞의 수예요.
52
53

52~53쪽

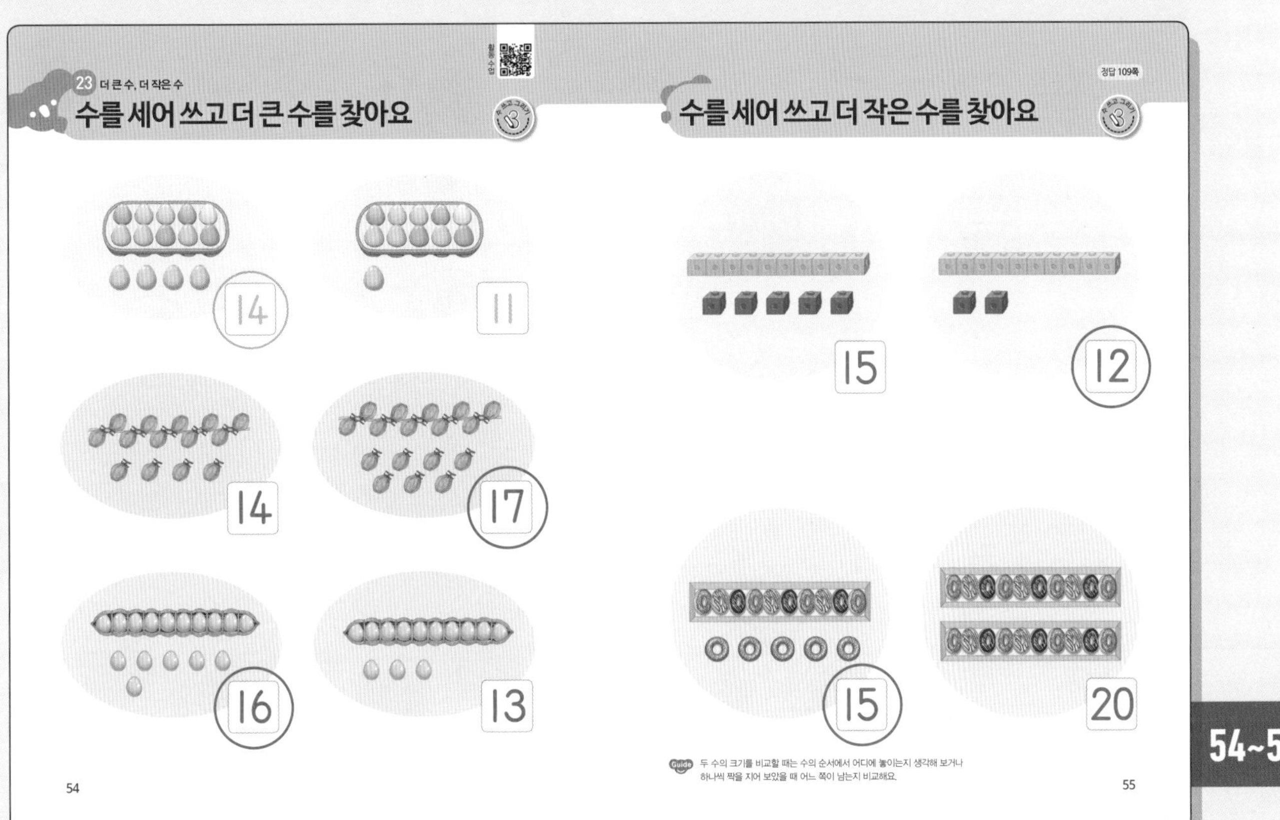
23 더 큰 수, 더 작은 수
수를 세어 쓰고 더 큰 수를 찾아요
14
11
14
17
16
13
54
정답 109쪽
수를 세어 쓰고 더 작은 수를 찾아요
15
12
15
20
두 수의 크기를 비교할 때는 수의 순서에서 어디에 놓이는지 생각해 보거나
하나씩 짝을 지어 보았을 때 어느 쪽이 남는지 비교해요.
55

54~55쪽

3과정 50까지의 수

58~59쪽

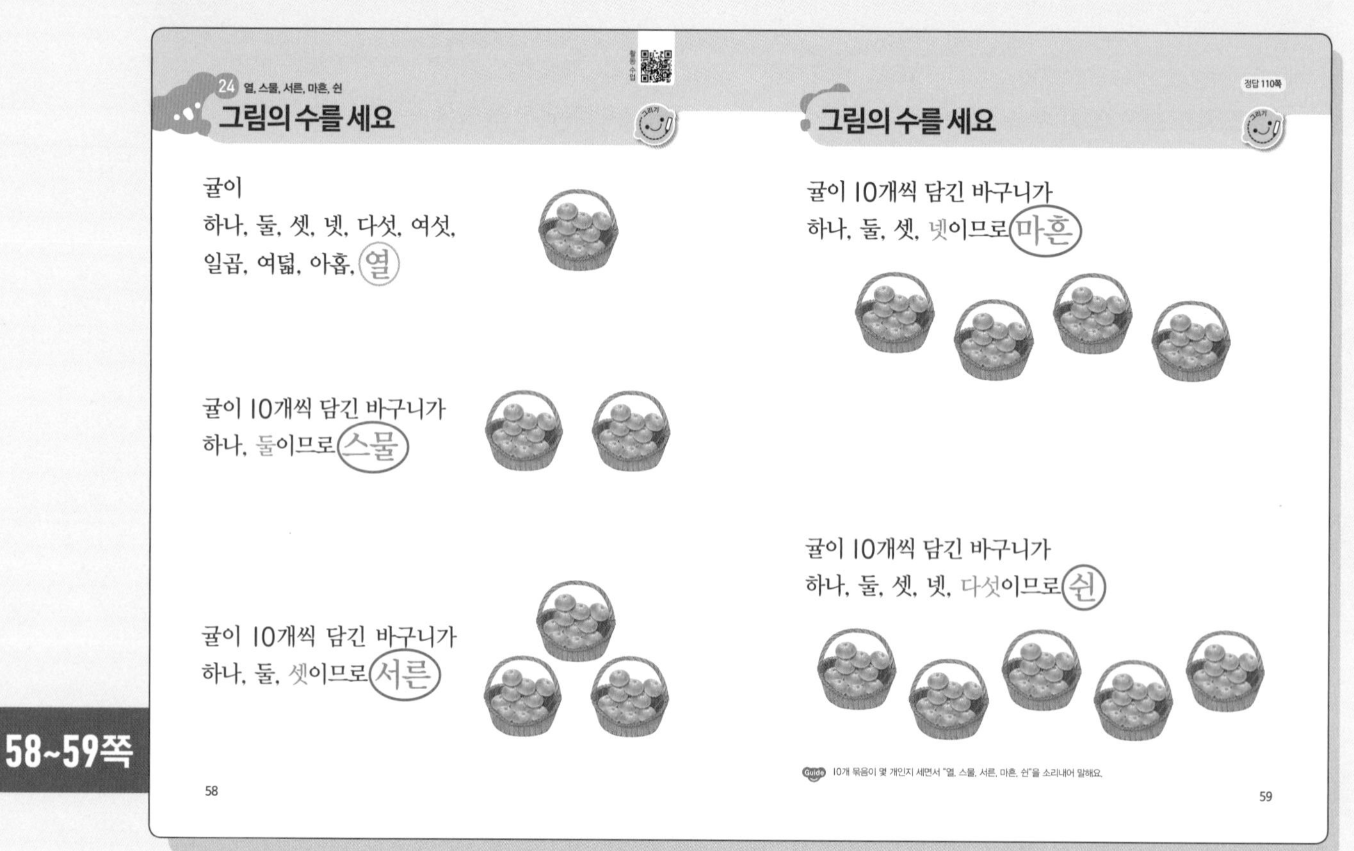

24 열, 스물, 서른, 마흔, 쉰

그림의 수를 세요

귤이
하나, 둘, 셋, 넷, 다섯, 여섯,
일곱, 여덟, 아홉, 열

귤이 10개씩 담긴 바구니가
하나, 둘이므로 스물

귤이 10개씩 담긴 바구니가
하나, 둘, 셋이므로 서른

58

정답 110쪽

그림의 수를 세요

귤이 10개씩 담긴 바구니가
하나, 둘, 셋, 넷이므로 마흔

귤이 10개씩 담긴 바구니가
하나, 둘, 셋, 넷, 다섯이므로 쉰

Guide 10개 묶음이 몇 개인지 세면서 "열, 스물, 서른, 마흔, 쉰"을 소리내어 말해요.

59

60~61쪽

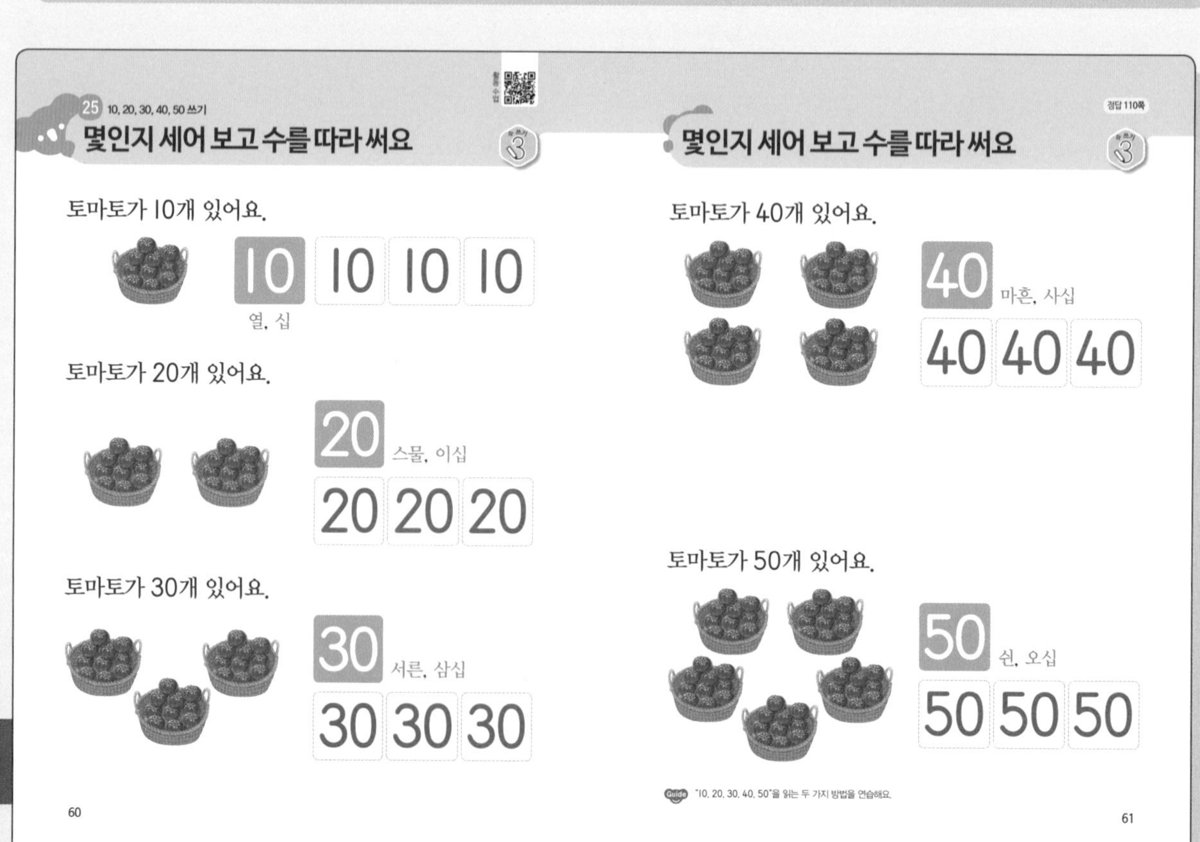

25 10, 20, 30, 40, 50 쓰기

몇인지 세어 보고 수를 따라 써요

토마토가 10개 있어요.

10 10 10 10

열, 십

토마토가 20개 있어요.

20 스물, 이십

20 20 20

토마토가 30개 있어요.

30 서른, 삼십

30 30 30

60

정답 110쪽

몇인지 세어 보고 수를 따라 써요

토마토가 40개 있어요.

40 마흔, 사십

40 40 40

토마토가 50개 있어요.

50 쉰, 오십

50 50 50

Guide "10, 20, 30, 40, 50"을 읽는 두 가지 방법을 연습해요.

61

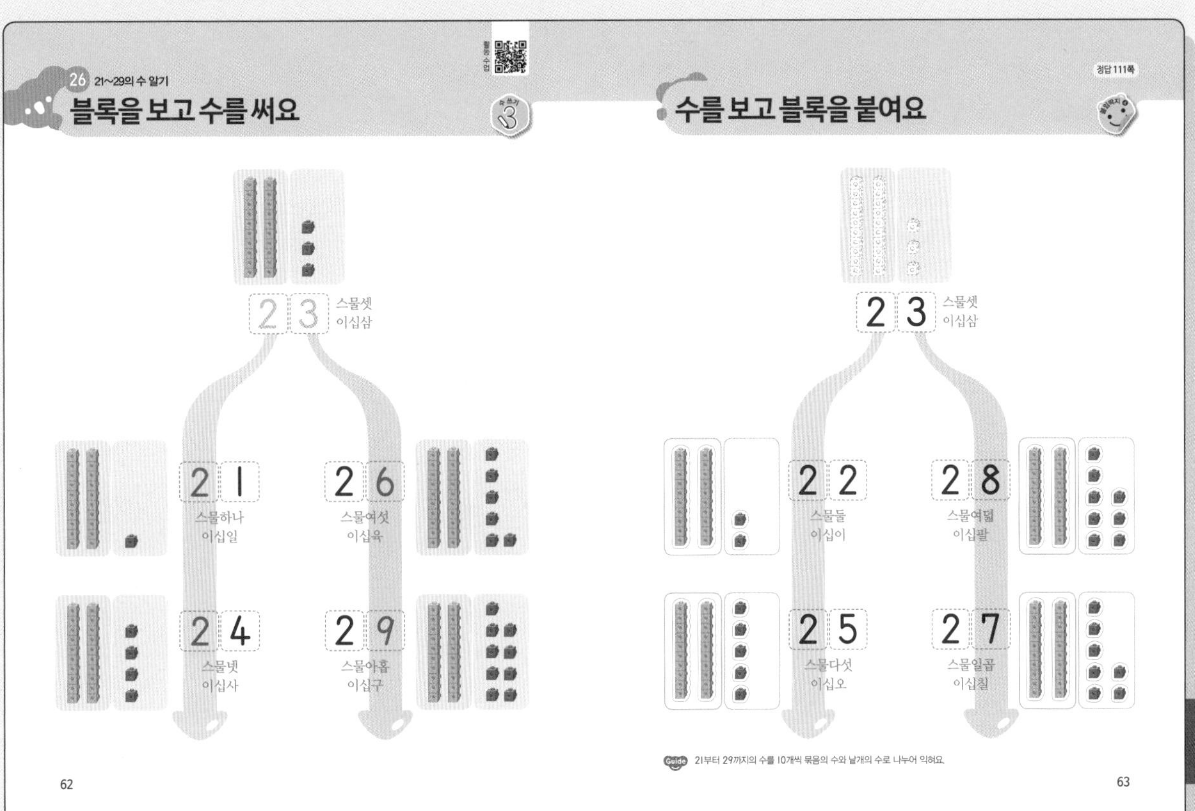
26 21~29의 수 알기
블록을 보고 수를 써요
수를 보고 블록을 붙여요
정답 111쪽
2 3 스물셋 이십삼
2 1 스물하나 이십일
2 6 스물여섯 이십육
2 4 스물넷 이십사
2 9 스물아홉 이십구
2 2 스물둘 이십이
2 8 스물여덟 이십팔
2 5 스물다섯 이십오
2 7 스물일곱 이십칠
21부터 29까지의 수를 10개씩 묶음의 수와 낱개의 수로 나누어 익혀요.
62
63

62~63쪽

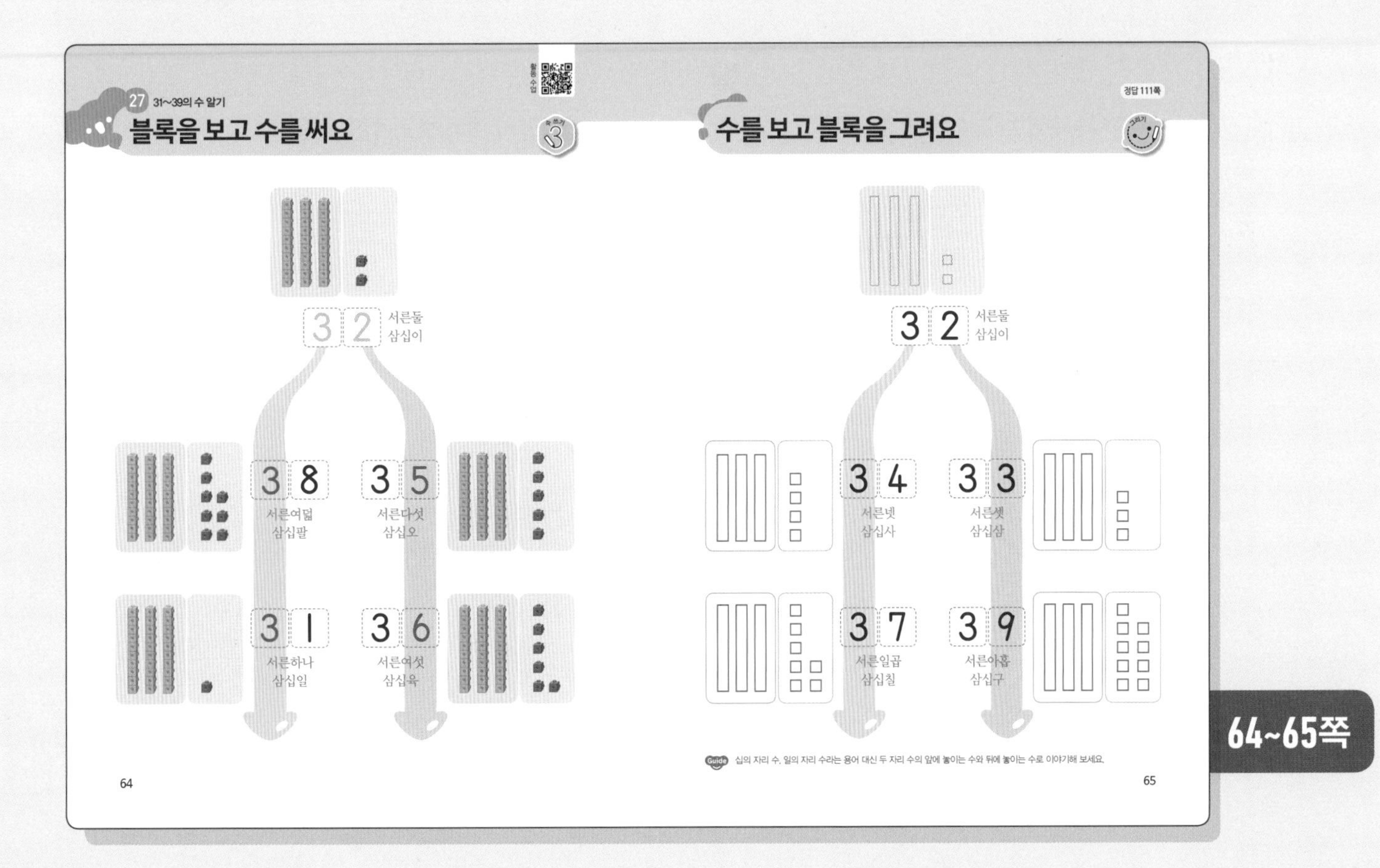
27 31~39의 수 알기
블록을 보고 수를 써요
수를 보고 블록을 그려요
정답 111쪽
3 2 서른둘 삼십이
3 8 서른여덟 삼십팔
3 5 서른다섯 삼십오
3 1 서른하나 삼십일
3 6 서른여섯 삼십육
3 4 서른넷 삼십사
3 3 서른셋 삼십삼
3 7 서른일곱 삼십칠
3 9 서른아홉 삼십구
십의 자리 수, 일의 자리 수라는 용어 대신 두 자리 수의 앞에 놓이는 수와 뒤에 놓이는 수로 이야기해 보세요.
64
65

64~65쪽

3 과정 50까지의 수

66~67쪽

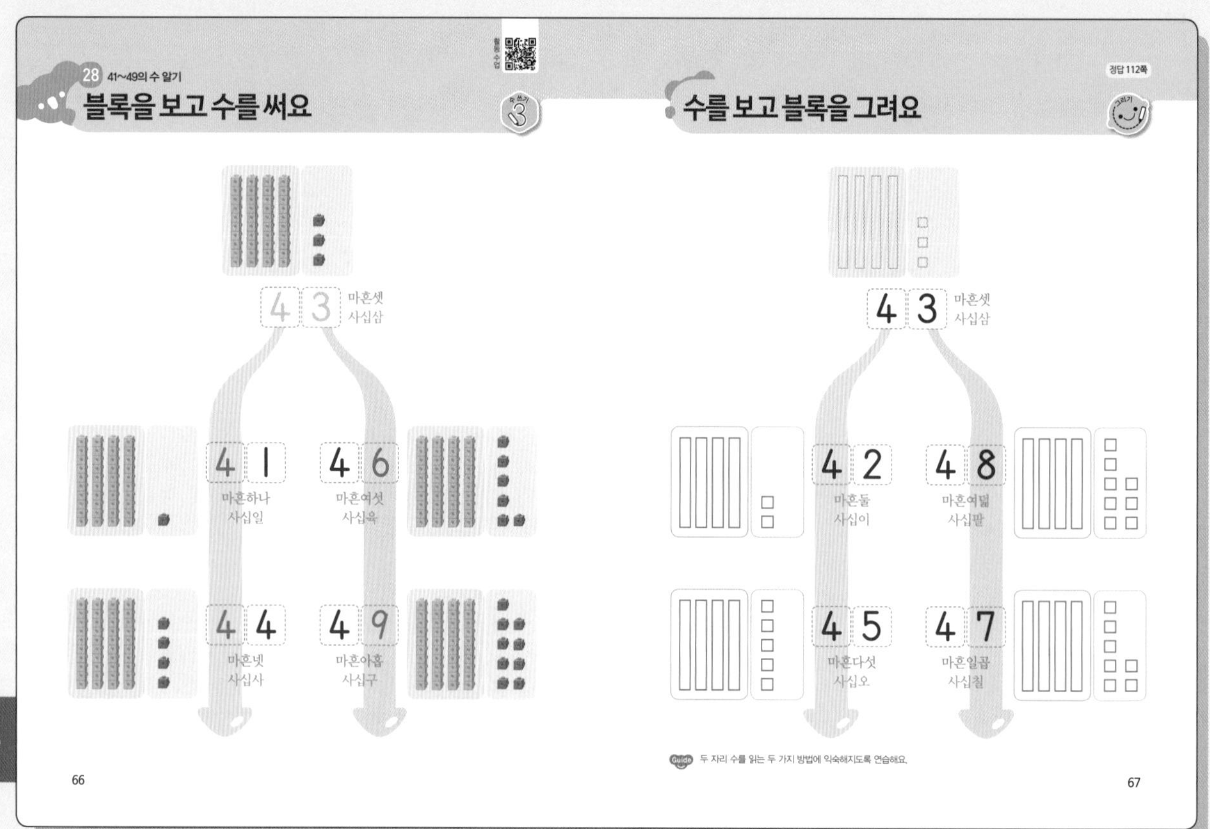

68~69쪽

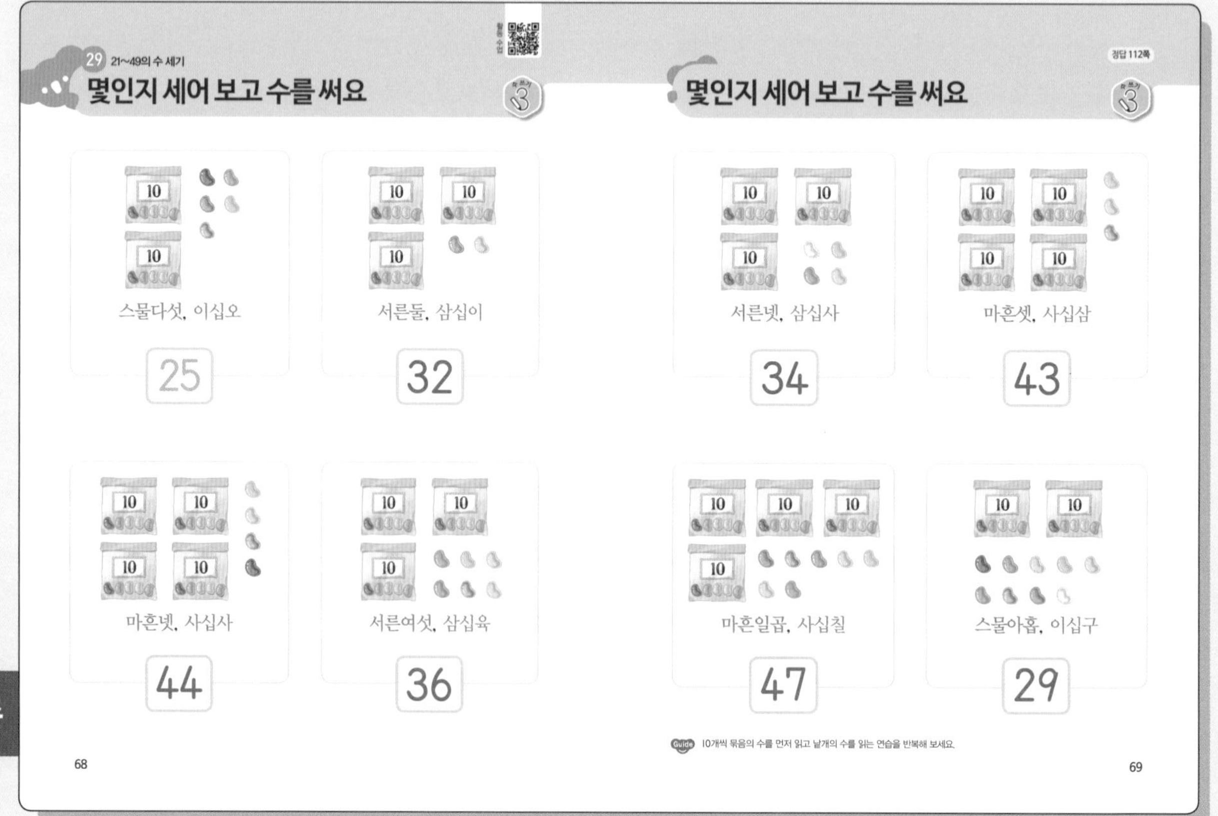

29 21~49의 수 세기
몇인지 세어 보고 수를 써요
스물다섯, 이십오
25
서른둘, 삼십이
32
마흔넷, 사십사
44
서른여섯, 삼십육
36
68
정답 112쪽
몇인지 세어 보고 수를 써요
서른넷, 삼십사
34
마흔셋, 사십삼
43
마흔일곱, 사십칠
47
스물아홉, 이십구
29
10개씩 묶음의 수를 먼저 읽고 낱개의 수를 읽는 연습을 반복해 보세요.
69

30 작은 수부터 쓰기
순서에 맞게 수를 써요
22 23 24 25 26
46 47 48 49 50
35 36 37 38 39
70
정답 113쪽
순서에 맞게 수를 써요
41 42 43 44 45
18 19 20 21 22
27 28 29 30 31
Guide 1~50의 수를 어느 곳에서 시작해도 차례대로 셀 수 있도록 연습해요.
71

70~71쪽

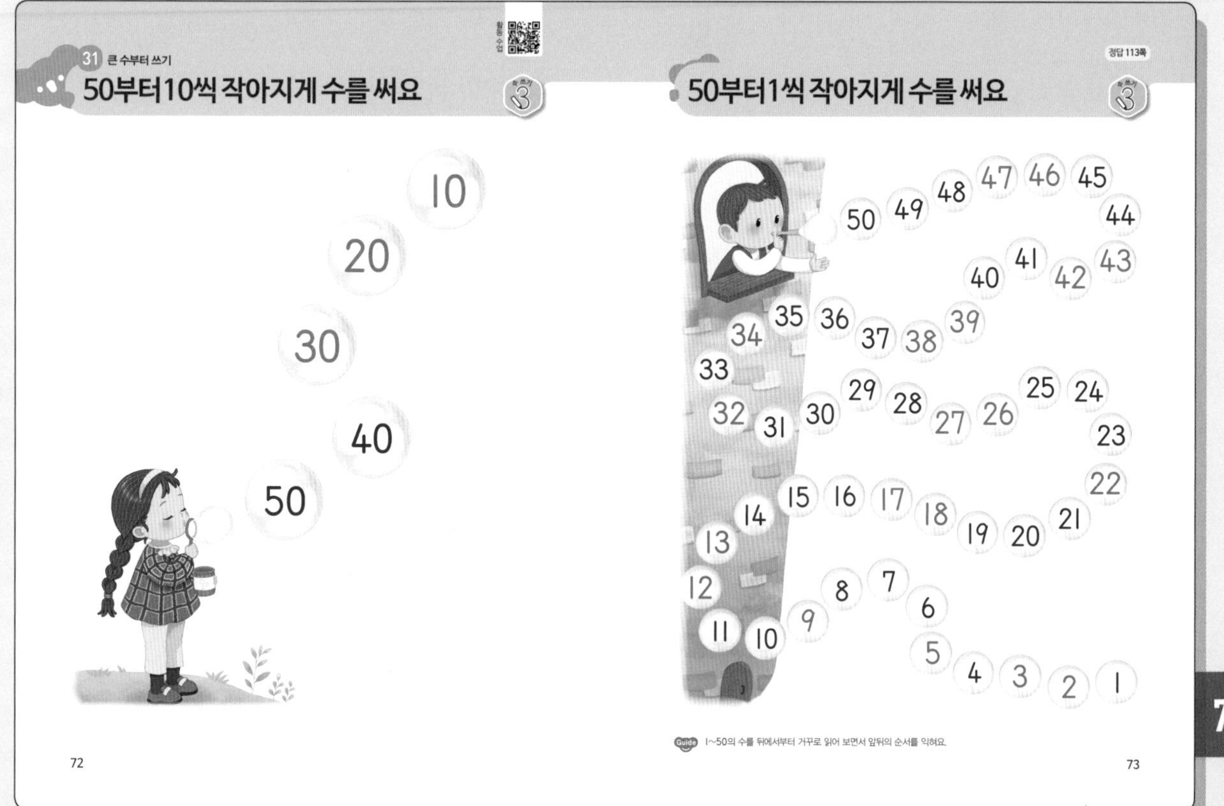
31 큰 수부터 쓰기
50부터 10씩 작아지게 수를 써요
10
20
30
40
50
72
정답 113쪽
50부터 1씩 작아지게 수를 써요
Guide 1~50의 수를 뒤에서부터 거꾸로 읽어 보면서 앞뒤의 순서를 익혀요.
73

72~73쪽

3 과정 50까지의 수

74~75쪽

32 순서대로 점 잇기
1부터 25까지의 수로 그림을 그려요
26부터 50까지의 수로 그림을 그려요
정답 114쪽
Guide 1~50의 수의 순서를 점 잇기를 통해 연습해요. 순서대로 점과 점을 이어갈 수 있도록 도와주세요.
74
75

76~77쪽

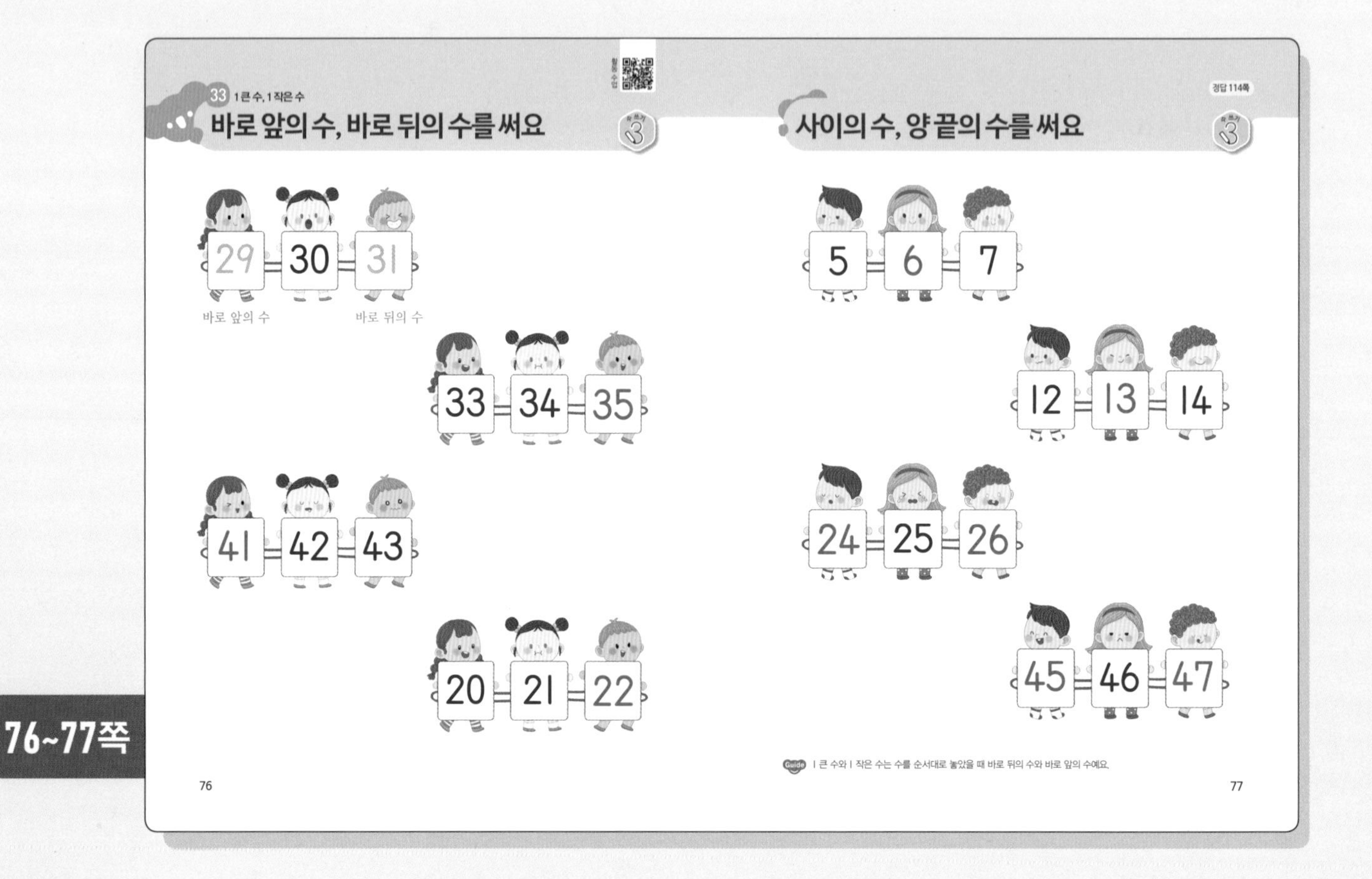

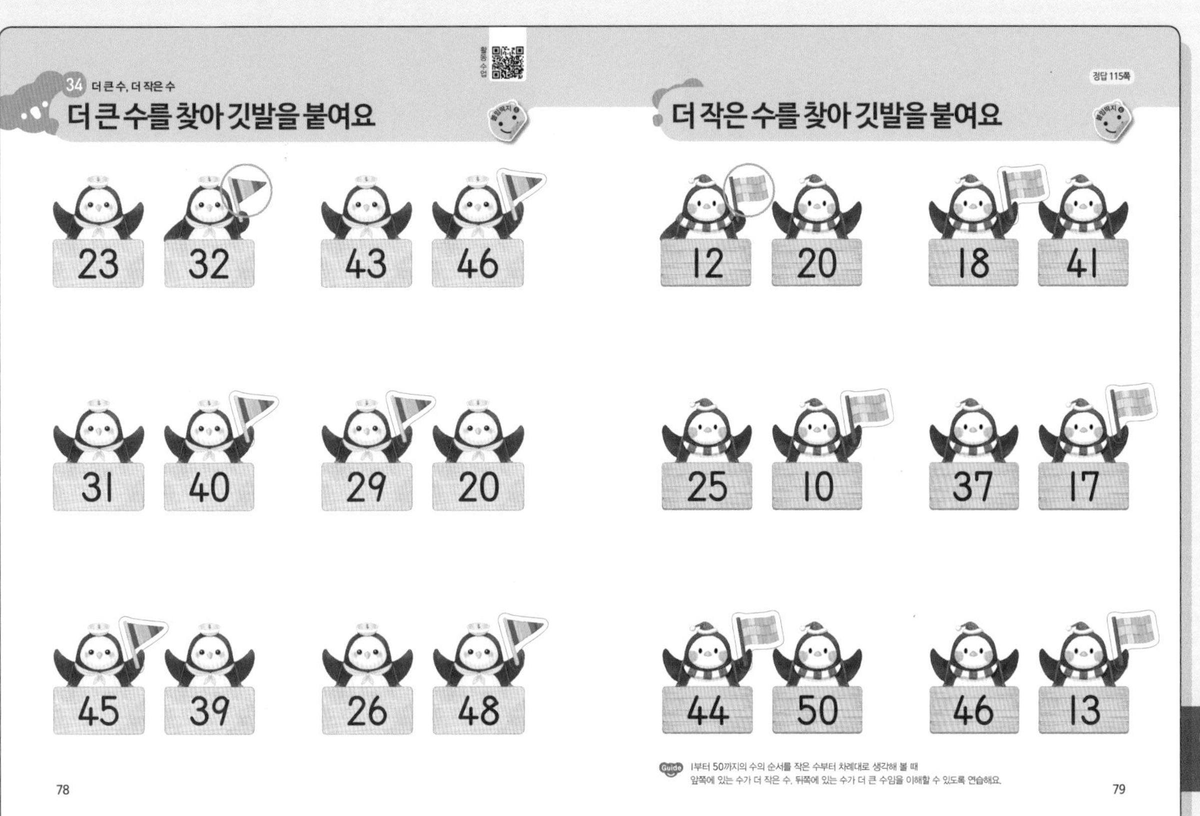
34 더 큰 수, 더 작은 수
더 큰 수를 찾아 깃발을 붙여요
23 32 43 46
31 40 29 20
45 39 26 48
78
정답 115쪽
더 작은 수를 찾아 깃발을 붙여요
12 20 18 41
25 10 37 17
44 50 46 13
Guide 1부터 50까지의 수의 순서를 작은 수부터 차례대로 생각해 볼 때
앞쪽에 있는 수가 더 작은 수, 뒤쪽에 있는 수가 더 큰 수임을 이해할 수 있도록 연습해요.
79

78~79쪽

4과정 100까지의 수

82~83쪽

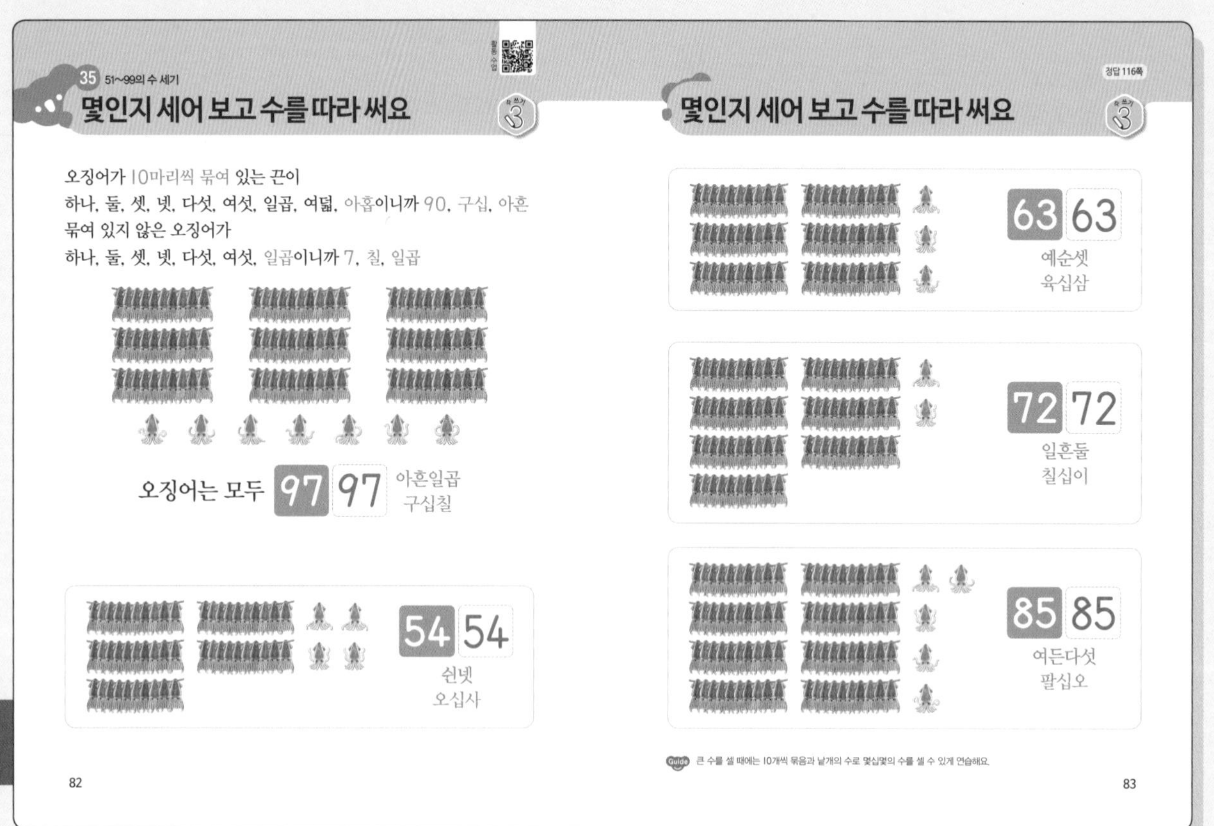

35 51~99의 수 세기

몇인지 세어 보고 수를 따라 써요

정답 116쪽

오징어가 10마리씩 묶여 있는 끈이
하나, 둘, 셋, 넷, 다섯, 여섯, 일곱, 여덟, 아홉이니까 90, 구십, 아흔
묶여 있지 않은 오징어가
하나, 둘, 셋, 넷, 다섯, 여섯, 일곱이니까 7, 칠, 일곱

오징어는 모두 97 97 아흔일곱 구십칠

54 54 쉰넷 오십사

몇인지 세어 보고 수를 따라 써요

63 63 예순셋 육십삼

72 72 일흔둘 칠십이

85 85 여든다섯 팔십오

Guide 큰 수를 셀 때에는 10개씩 묶음과 낱개의 수로 몇십몇의 수를 셀 수 있게 연습해요.

82 83

84~85쪽

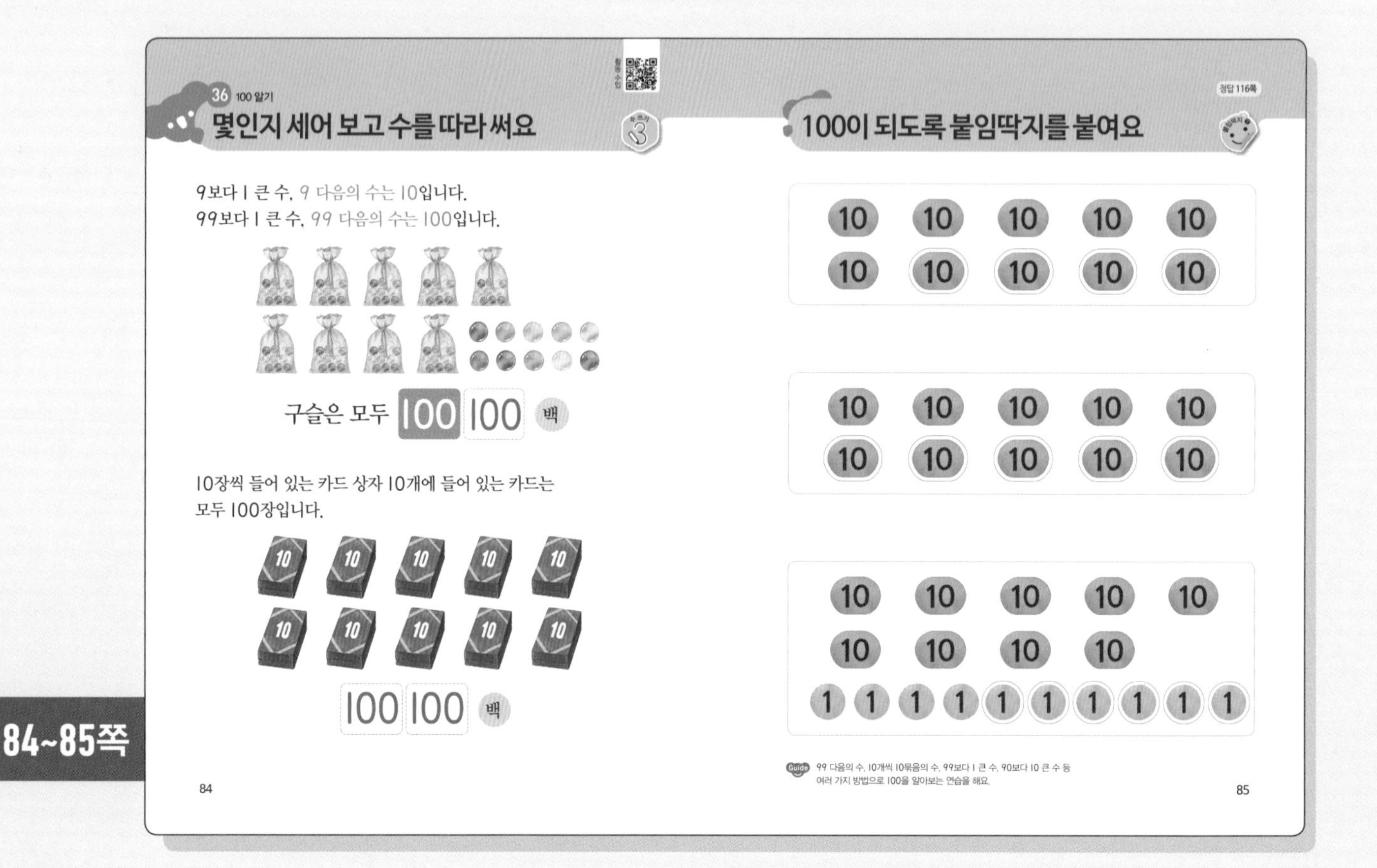

36 100 알기

몇인지 세어 보고 수를 따라 써요

정답 116쪽

9보다 1 큰 수, 9 다음의 수는 10입니다.
99보다 1 큰 수, 99 다음의 수는 100입니다.

구슬은 모두 100 100 백

10장씩 들어 있는 카드 상자 10개에 들어 있는 카드는
모두 100장입니다.

100 100 백

100이 되도록 붙임딱지를 붙여요

Guide 99 다음의 수, 10개씩 10묶음의 수, 99보다 1 큰 수, 90보다 10 큰 수 등
여러 가지 방법으로 100을 알아보는 연습을 해요.

84 85

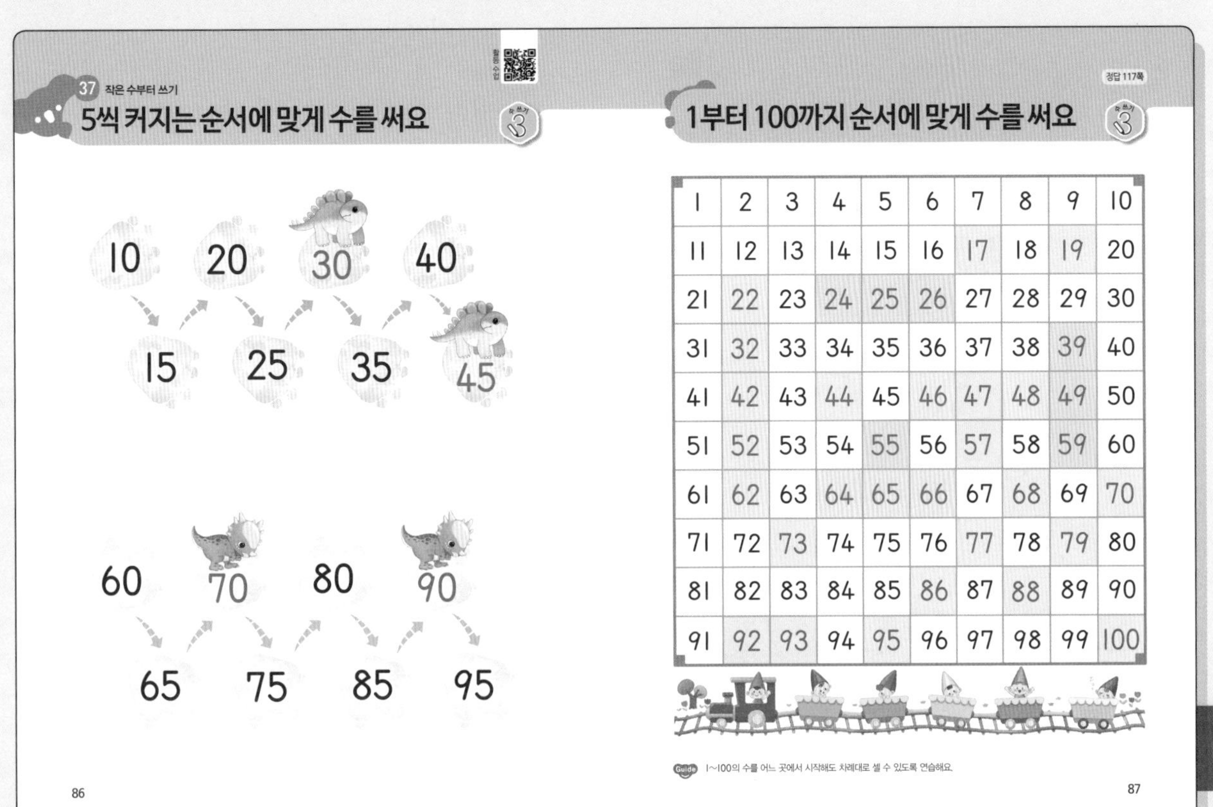

37 작은 수부터 쓰기

5씩 커지는 순서에 맞게 수를 써요

10 15 20 25 30 35 40 45

60 65 70 75 80 85 90 95

86

정답 117쪽

1부터 100까지 순서에 맞게 수를 써요

1	2	3	4	5	6	7	8	9	10
11	12	13	14	15	16	17	18	19	20
21	22	23	24	25	26	27	28	29	30
31	32	33	34	35	36	37	38	39	40
41	42	43	44	45	46	47	48	49	50
51	52	53	54	55	56	57	58	59	60
61	62	63	64	65	66	67	68	69	70
71	72	73	74	75	76	77	78	79	80
81	82	83	84	85	86	87	88	89	90
91	92	93	94	95	96	97	98	99	100

Guide 1~100의 수를 어느 곳에서 시작해도 차례대로 셀 수 있도록 연습해요.

87

86~87쪽

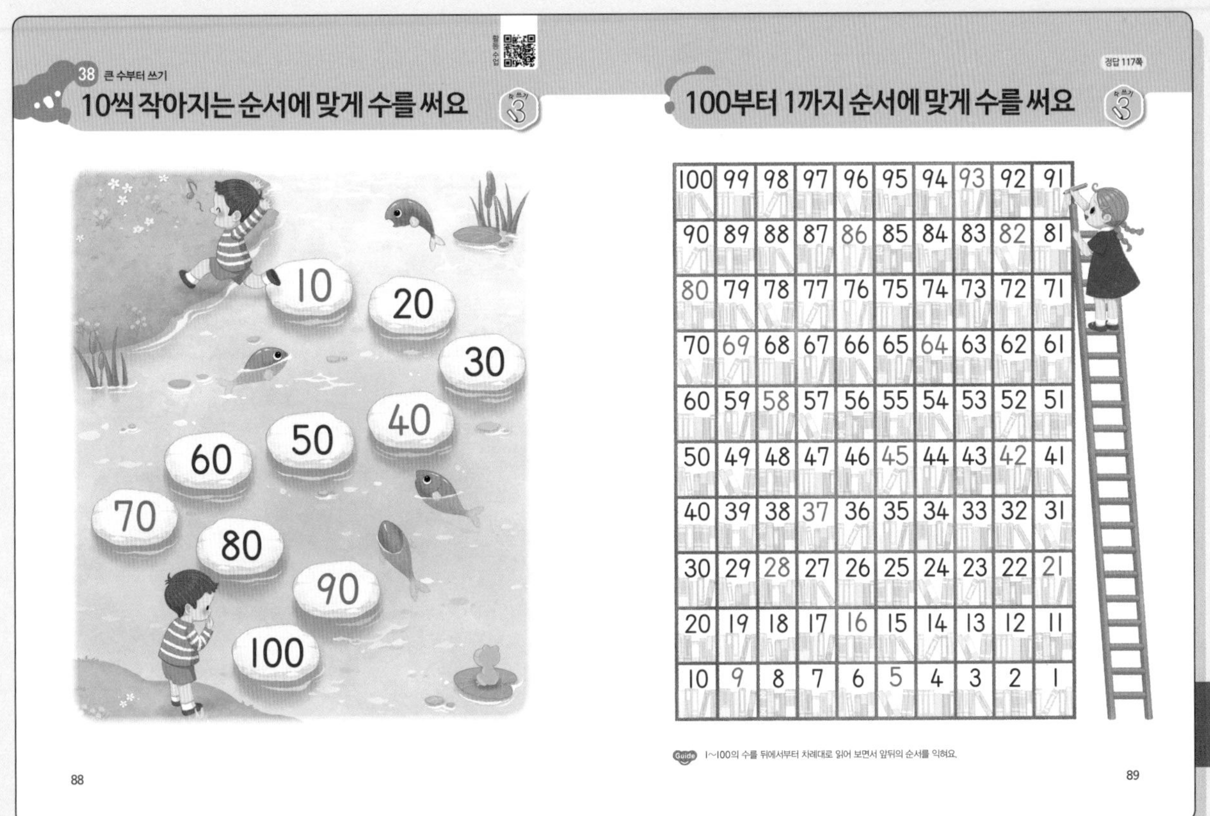

38 큰 수부터 쓰기

10씩 작아지는 순서에 맞게 수를 써요

10 20 30 40 50 60 70 80 90 100

88

정답 117쪽

100부터 1까지 순서에 맞게 수를 써요

100	99	98	97	96	95	94	93	92	91
90	89	88	87	86	85	84	83	82	81
80	79	78	77	76	75	74	73	72	71
70	69	68	67	66	65	64	63	62	61
60	59	58	57	56	55	54	53	52	51
50	49	48	47	46	45	44	43	42	41
40	39	38	37	36	35	34	33	32	31
30	29	28	27	26	25	24	23	22	21
20	19	18	17	16	15	14	13	12	11
10	9	8	7	6	5	4	3	2	1

Guide 1~100의 수를 뒤에서부터 차례대로 읽어 보면서 앞뒤의 순서를 익혀요.

89

88~89쪽

4과정 100까지의 수

90~91쪽

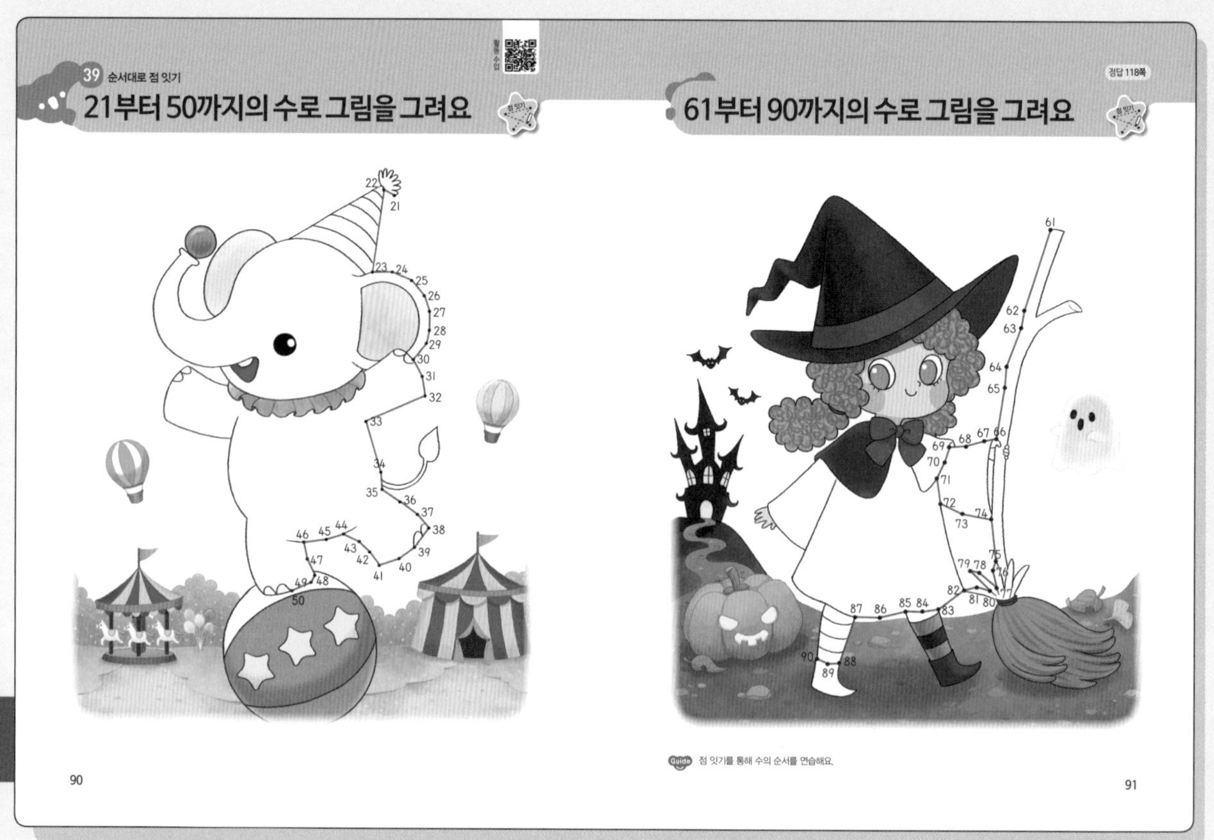

39 순서대로 점 잇기
21부터 50까지의 수로 그림을 그려요
61부터 90까지의 수로 그림을 그려요
정답 118쪽
점 잇기를 통해 수의 순서를 연습해요.
90
91

92~93쪽

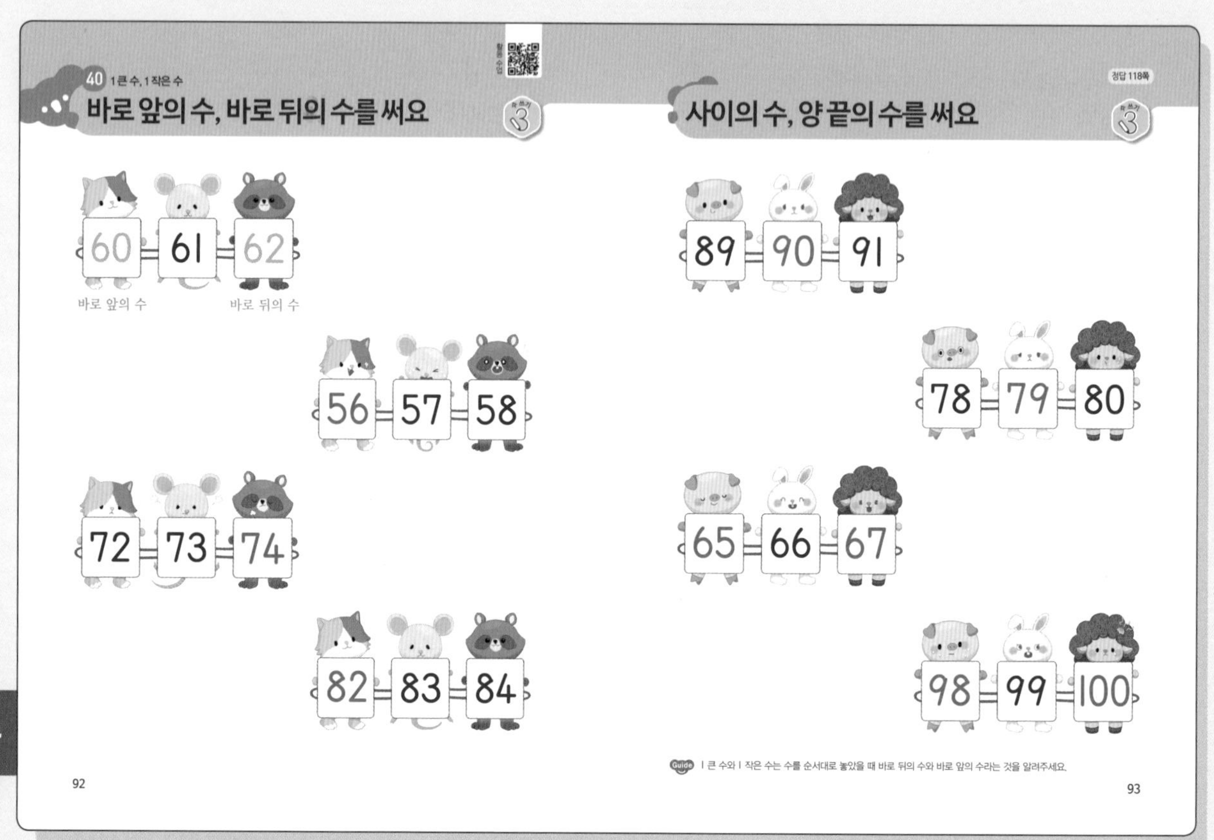

40 1 큰 수, 1 작은 수
바로 앞의 수, 바로 뒤의 수를 써요
60 61 62
바로 앞의 수
바로 뒤의 수
56 57 58
72 73 74
82 83 84
사이의 수, 양 끝의 수를 써요
정답 118쪽
89 90 91
78 79 80
65 66 67
98 99 100
1 큰 수와 1 작은 수는 수를 순서대로 놓았을 때 바로 뒤의 수와 바로 앞의 수라는 것을 알려주세요.
92
93

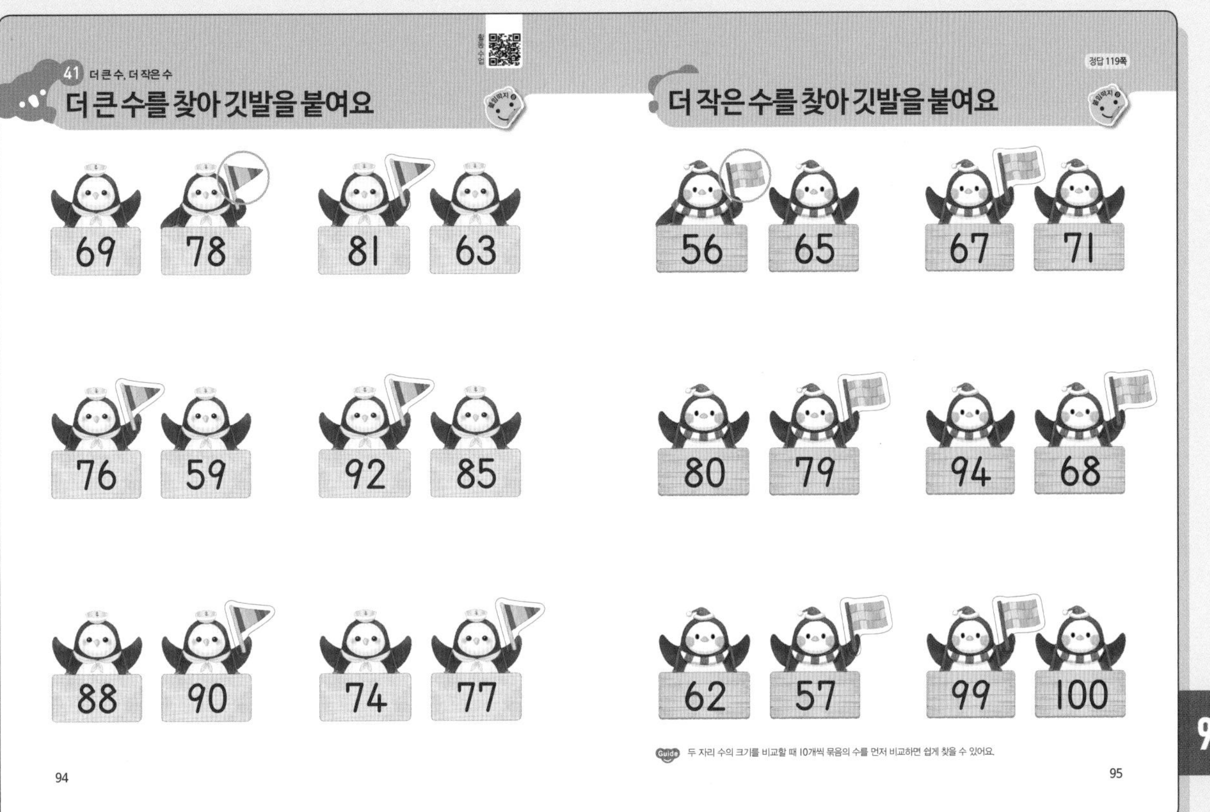

41 더 큰 수, 더 작은 수

더 큰 수를 찾아 깃발을 붙여요

69 78 · 81 63

76 59 · 92 85

88 90 · 74 77

94

정답 119쪽

더 작은 수를 찾아 깃발을 붙여요

56 65 · 67 71

80 79 · 94 68

62 57 · 99 100

Guide 두 자리 수의 크기를 비교할 때 10개씩 묶음의 수를 먼저 비교하면 쉽게 찾을 수 있어요.

95

94~95쪽

메모

뱀 사다리 놀이용 주사위, 말판

가위를 사용해 선을 따라 잘라서 활용하세요.

실선을 따라 가위로 잘라 냅니다.
점선을 따라 접은 뒤 풀칠하여 사용합니다.

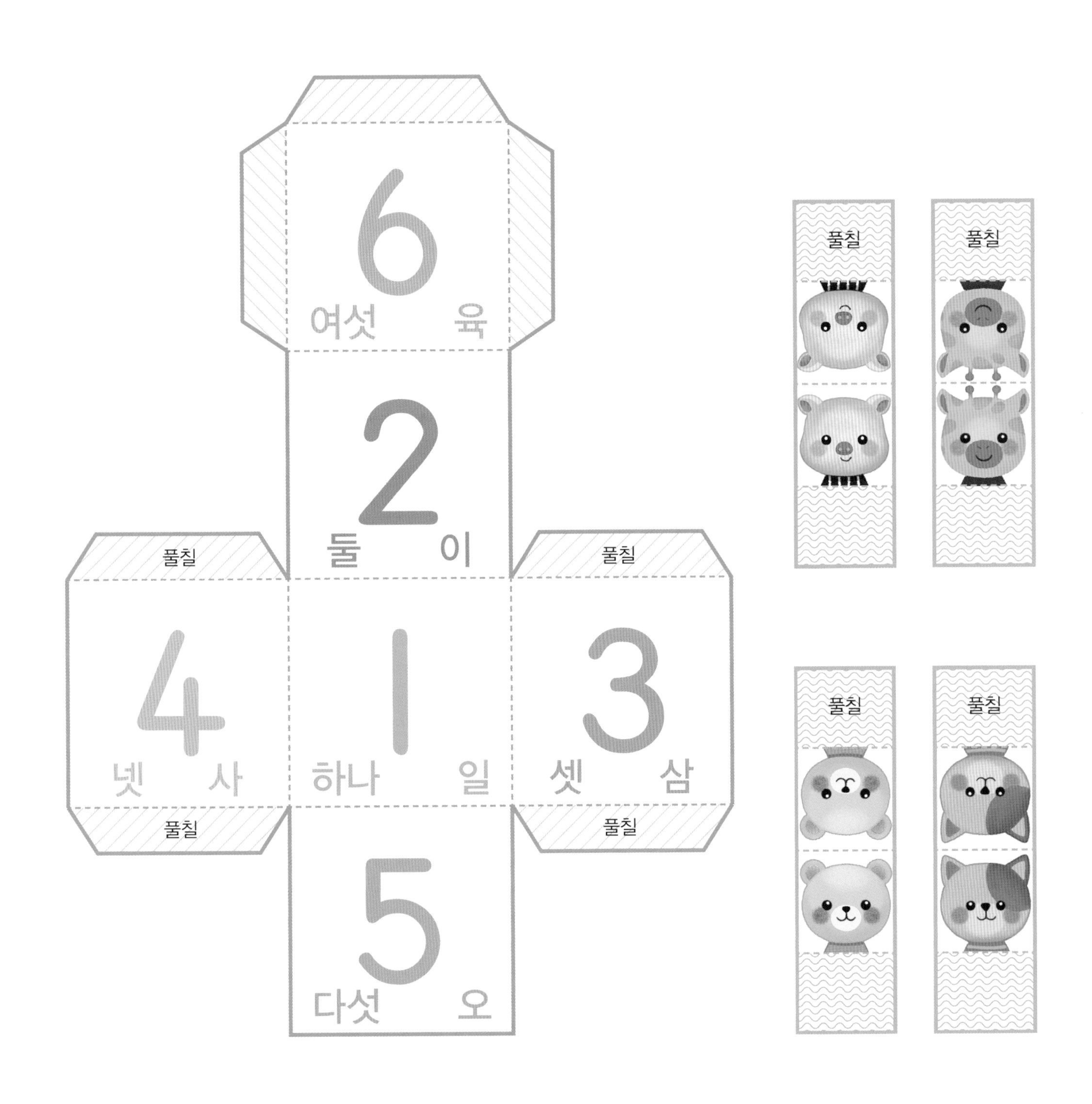

상장

수가 쑥쑥 상

이름

위 어린이는 6세 초능력 첫걸음 수와 셈

1단계를 훌륭하게 마쳤습니다.

이에 칭찬하여 이 상장을 드립니다.

년 월 일